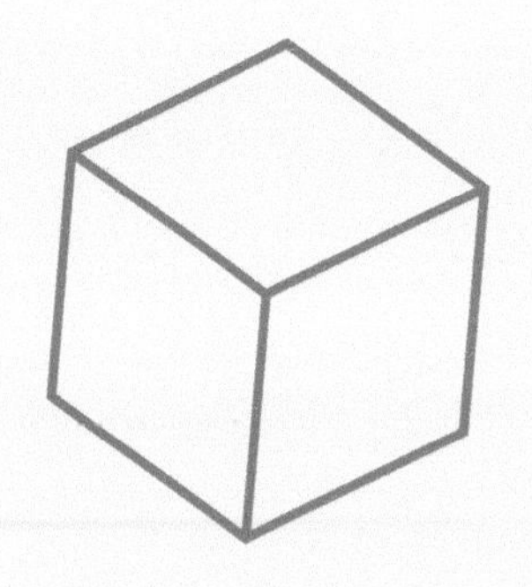

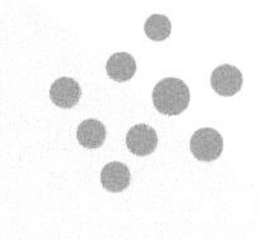

실어증 회복 챌린지

# 언어재활 워크북 초급


저자 : 황윤경 박조은 장예지
김수정 우경희 남소영

실어증 회복 챌린지
언어재활 워크북 <초급>

초판 1쇄 발행 2023년 07월 06일

지은이_ 황윤경 박조은 장예지 김수정 우경희 남소영
펴낸이_ 김동명
펴낸곳_ 도서출판 창조와 지식
디자인_ (주)북모아
인쇄처_ (주)북모아

출판등록번호_ 제2018-000027호
주소_ 서울특별시 강북구 덕릉로 144
전화_ 1644-1814
팩스_ 02-2275-8577

ISBN 979-11-6003-619-0

정가 18000원

실어증 회복 챌린지

# 언어재활 워크북

초급

_대표 저자

**황윤경**
University of Utah 언어학 학사 취득
연세대학교 언어병리학과 박사 취득

現 더숲 언어심리상담센터 센터장
現 용인대학교 재활복지대학원 언어치료학과 객원교수
現 한림대학교 자연과학대학 언어청각학부 겸임교수
現 한림국제대학교대학원 청각언어치료학과 겸임교수
前 신촌세브란스 재활병원 언어재활사

_공동 저자

**박조은**
용인대학교 재활복지대학원 언어치료학과 석사과정

**장예지**
대구대학교 언어재활학과 졸업
용인대학교 재활복지대학원 언어치료학과 석사과정
現 리엔리 언어심리학습센터 언어재활사

**김수정**
상지영서대학교(現 상지대학교) 언어치료학과 졸업
용인대학교 재활복지대학원 언어치료학과 석사과정
現 이천 플러스원발달상담센터

**우경희**
용인대학교 재활복지대학원 언어치료학과 석사 졸업

**남소영**
용인대학교 재활복지대학원 언어치료학과 석사과정

Contents

## 단어 이해



## 단어 표현

## 문장 이해



## 구·문장 표현

## 프롤로그

실어증은 과연 회복이 되나요?

예전처럼 완전히 말할 수 있을까요?

실어증은 뇌손상이나 퇴행성 질환으로 인해 언어 및 의사소통 능력에 어려움을 보이는 상태를 의미합니다. 실어증 유형에 따라 상대적으로 언어능력이 보존된 영역과 손상된 영역의 중증도가 다르지만, 전반적으로는 말하기, 이해하기, 쓰기, 읽기의 모든 영역에서 기능적인 손상을 보입니다.

실어증 환자들은 예상치 못하게 겪게 되는 의사소통 장애로 인해 매우 답답하고 분노나 우울감을 느낍니다. 또한, 앞으로의 생활 변화에 대해 두렵고 불안합니다. 환자뿐만 아니라 곁을 지키는 가족과 보호자 역시 무력감과 과도한 책임감으로 큰 스트레스를 받는 어려운 상황일 것입니다.

과연 언제 정상으로 돌아올 수 있을까? 회복이 되기는 할까?

실어증은 개인의 상태와 중증도에 따라 회복 예후에 큰 차이를 보입니다. 최종 회복 수준에는 차이가 있으나 일반적으로는 회복 가능성이 매우 큰 기능장애입니다. 실어증은 뇌가소성 이론에 근거하여 발병 초기에 시기적절한 언어재활훈련을 하여 최대한의 기능을 회복할 수 있습니다. 인간의 뇌는 지속해서 새롭게 학습하며 활동을 반복함으로써 복원력을 보이기 때문입니다.

특히 발병 초기의 집중적인 언어재활훈련과 정기적인 연습은 뇌의 언어 및 인지 영역을 활성화시킴으로써 복구 및 보완이 가능한 언어장애 증상을 최적화하는데 큰 도움이 됩니다.

실어증 환자의 일상적인 의사소통 능력 회복과 사회적 상호작용을 개선하기 위해 개발된 다양한 언어치료 훈련 프로그램을 소개합니다.

가정에서도 환자 스스로, 혹은 보호자와 함께 다양한 유형의 언어재활훈련을 통해 차근차근 실어증 회복 챌린지를 수행할 수 있도록 수준별 워크북 형태로 제작하였습니다. 난이도 〈초급〉편에서는 단어 수준부터 간단한 구와 문장 수준을 연습하고, 〈고급〉편에서는 조금 더 복잡한 문장 수준부터 문단 수준까지의 훈련에 초점을 맞추어 문항을 구성하였습니다.

다시 한번 강조하자면, 실어증은 환자의 의지력과 꾸준한 훈련으로 회복 가능한 최대의 개선을 이룰 수 있습니다. 끈기 있게 하루하루 나아갈 때 소중한 개선과 회복이 이루어집니다. 본 워크북을 활용하여 언어재활 과정에서 환자와 보호자가 능동적으로 목표를 정하고 훈련해 보시길 추천해 드립니다.

언어인지 기능을 회복하고 일상에서 세상과 소통하는 기쁨을 누리시길 기원합니다.

- 저자 일동

# 감사의 글

이 책을 출판하기까지 많은 분의 도움이 있었습니다.

공동 집필에 처음 동기부여를 해주신 용인대학교 김수정 선생님께 감사드립니다.

용인대학교 재활복지대학원 언어치료학과 2023년 신경언어장애 수업 선생님들의 적극적인 참여와 참신한 아이디어로 다양한 문항을 수록할 수 있었습니다.

응원하고 함께 기뻐해 주신 용인대학교 정경희 교수님, 감사합니다.

문항 유형 개발에 도움을 주신 더숲 언어심리상담센터 권한슬 선생님께도 감사의 마음을 전합니다.

지적 호기심을 잃지 않고 다양한 모험의 여정을 걸어가는 동안, 수년의 세월이 흘렀음에도 불구하고 대학원 시절 지도교수님의 포용적인 멘토링이 저에게 지울 수 없는 영향력으로 자리하고 있습니다. 연세대학교 언어병리학과 김향희 교수님께 존경을 표합니다.

집필하는 동안 항상 옆에서 응원하고 기다려준 모모, 동윤, 서윤 사랑합니다.

- 대표 저자 황윤경

# 단어 이해

❖ 같은 글자 찾기

❖ 그림-글자 매칭

❖ 그림-글자 선긋기

❖ 설명-그림 선긋기

❖ 동의어 찾기

❖ 반의어 찾기

❖ 연상되는 낱말 찾기 (1)

❖ 연상되는 낱말 찾기 (2)

❖ 범주에 해당하는 단어 찾기

❖ 상위어 찾기

❖ 범주가 다른 낱말 찾기

# 1. 같은 글자 찾기

단어 이해

왼쪽의 단어와 똑같이 생긴 단어에 표시하세요.

| | | | |
|---|---|---|---|
| **칼** | 칼 | 탈 | 캘 |
| **음악** | 악기 | 움막 | 음악 |
| **커피** | 카피 | 코피 | 커피 |
| **자** | 재 | 자 | 잘 |
| **아래** | 책상 | 아래 | 위 |
| **밥** | 밥 | 봄 | 반찬 |
| **이불** | 담요 | 이불 | 아범 |
| **머리** | 우리 | 다리 | 머리 |
| **가위** | 바지 | 가위 | 오리 |
| **청소** | 청소 | 창고 | 빗자루 |

# 단어 이해

왼쪽의 단어와 똑같이 생긴 단어에 표시하세요.

| | | | |
|---|---|---|---|
| **화장품** | 화장품 | 소장품 | 크림 |
| **청소** | 창고 | 청소 | 빗자루 |
| **희망** | 소망 | 희망 | 해명 |
| **형제** | 형제 | 자매 | 제품 |
| **단감** | 영감 | 사과 | 단감 |
| **가위** | 바위 | 가지 | 가위 |
| **우유** | 우유 | 아기 | 우산 |
| **호랑이** | 코끼리 | 호루라기 | 호랑이 |
| **냄비** | 냄비 | 가스 | 냄새 |
| **김치** | 감사 | 김치 | 치즈 |

왼쪽의 단어와 똑같이 생긴 단어에 표시하세요.

| | | | |
|---|---|---|---|
| **카메라** | 카네이션 | 캐러멜 | 카메라 |
| **거울** | 거울 | 거실 | 가위 |
| **공** | 곰 | 공 | 감 |
| **간호사** | 간호사 | 호랑이 | 의사 |
| **머리** | 우리 | 다리 | 머리 |
| **개** | 재 | 개 | 강아지 |
| **아래** | 아래 | 위 | 미래 |
| **가위** | 거위 | 집게 | 가위 |
| **밥** | 밥 | 답 | 국 |
| **손** | 돈 | 손 | 곰 |

# 단어 이해

왼쪽의 단어와 똑같이 생긴 단어에 표시하세요.

| | | | |
|---|---|---|---|
| **접시** | 냄비 | 접시 | 점지 |
| **이불** | 이불 | 아범 | 담요 |
| **도시락** | 도시락 | 소풍 | 도라지 |
| **딸기** | 따귀 | 빨강 | 딸기 |
| **피아노** | 피아노 | 피어나 | 악기 |
| **축구** | 운동 | 축지 | 축구 |
| **필통** | 필통 | 물통 | 핸드폰 |
| **옷** | 온 | 바지 | 옷 |
| **그릇** | 밥 | 그릇 | 그림 |
| **인물** | 이불 | 인물 | 신물 |

## 2. 그림-글자 매칭

그림을 보고 이름을 골라보세요.

# 단어 이해

그림을 보고 이름을 골라보세요.

| 신호등 | 자동차 |
|---|---|
| 지갑 | 카드 |
| 칫솔 | 젓가락 |

| 칫솔 | 치약 |
|---|---|
| 고추 | 호박 |
| 가위 | 키위 |

그림을 보고 이름을 골라보세요.

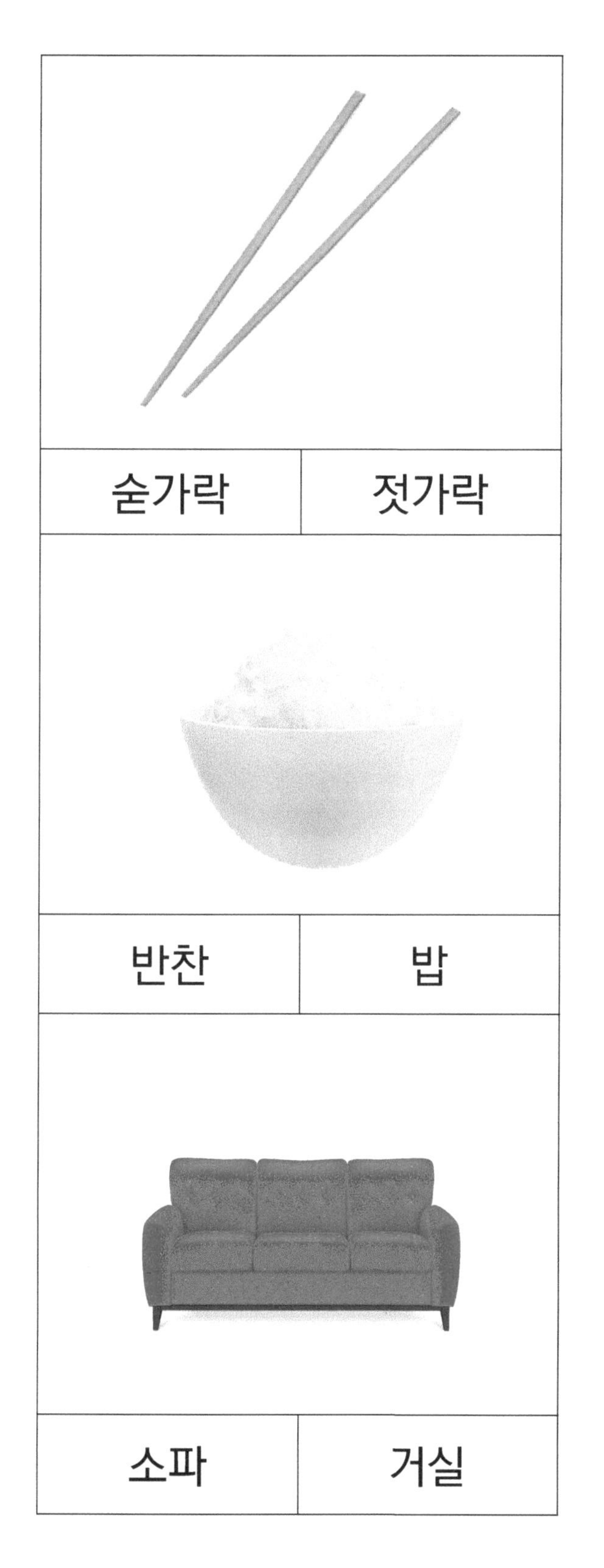

# 단어 이해

그림을 보고 이름을 골라보세요.

그림을 보고 이름을 골라보세요.

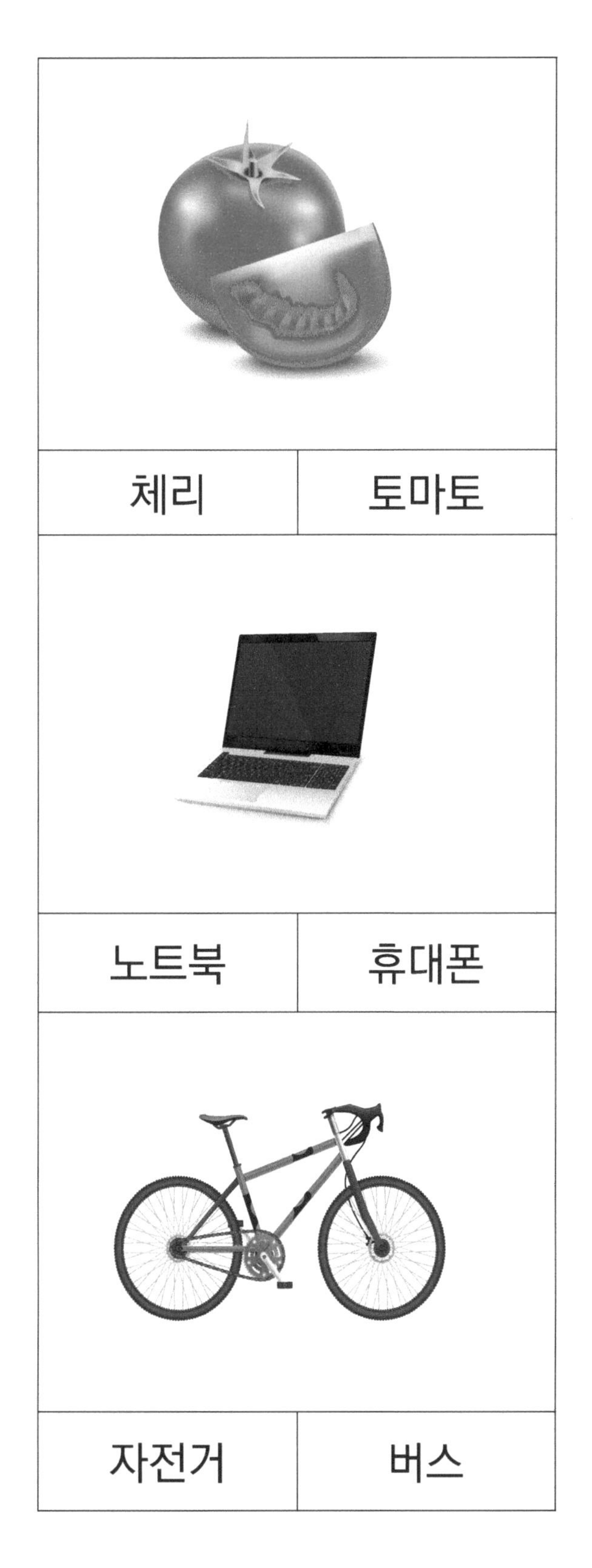

# 3. 그림-글자 선긋기

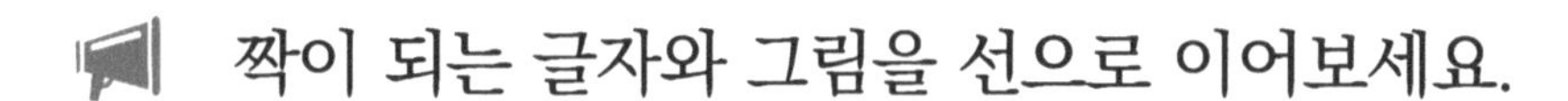

짝이 되는 글자와 그림을 선으로 이어보세요.

짝이 되는 글자와 그림을 선으로 이어보세요.

 • • 토마토

 • • 안경

 • • 다리미

 • • 손목시계

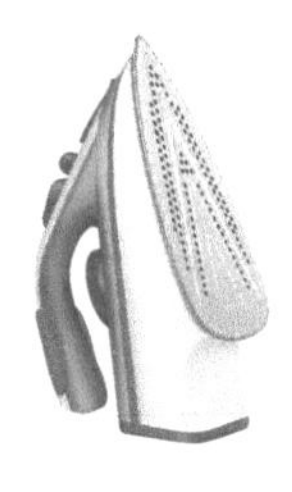 • • 우산

# 단어 이해

짝이 되는 글자와 그림을 선으로 이어보세요.

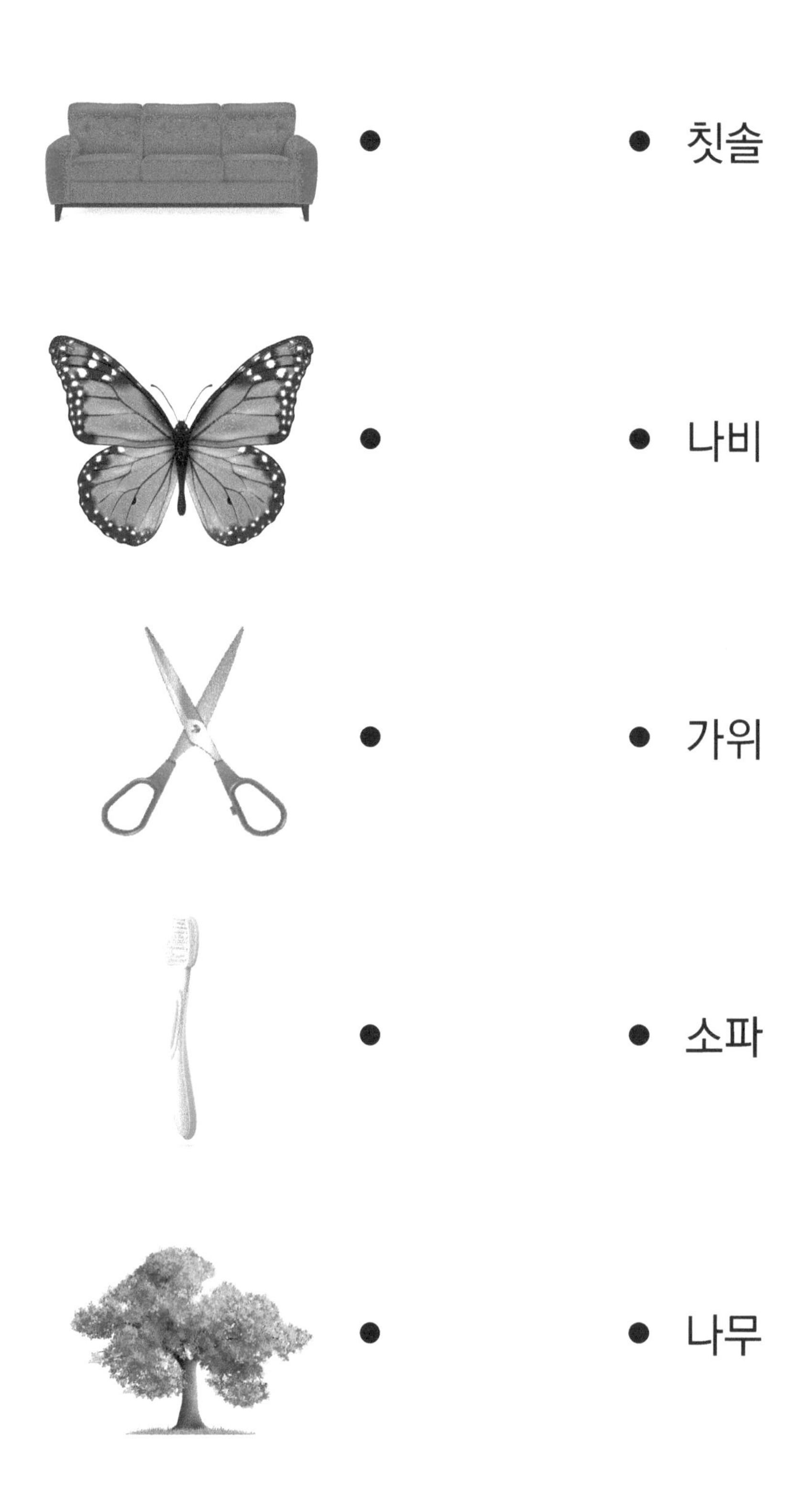

칫솔

나비

가위

소파

나무

짝이 되는 글자와 그림을 선으로 이어보세요.

 • • 커피

 • • 신발

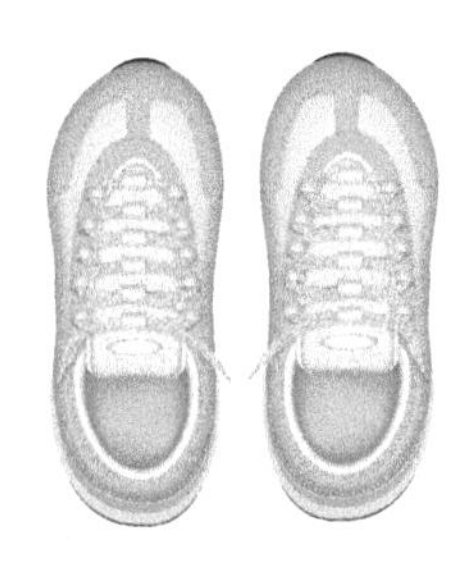 • • 돼지

 • • 리모컨

 • • 가방

# 4. 설명-그림 선긋기

설명에 해당하는 그림을 짝지어 선으로 연결하세요.

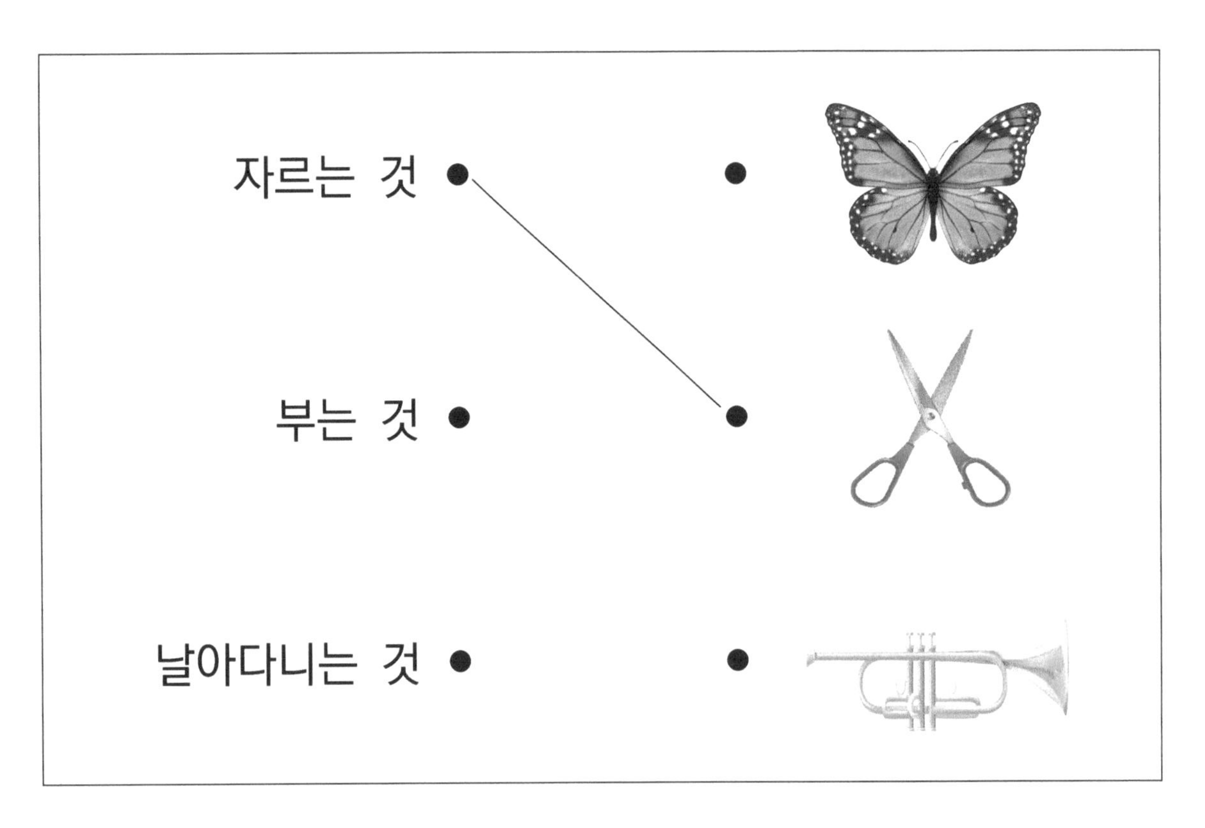

설명에 해당하는 그림을 짝지어 선으로 연결하세요.

## 단어 이해

설명에 해당하는 그림을 짝지어 선으로 연결하세요.

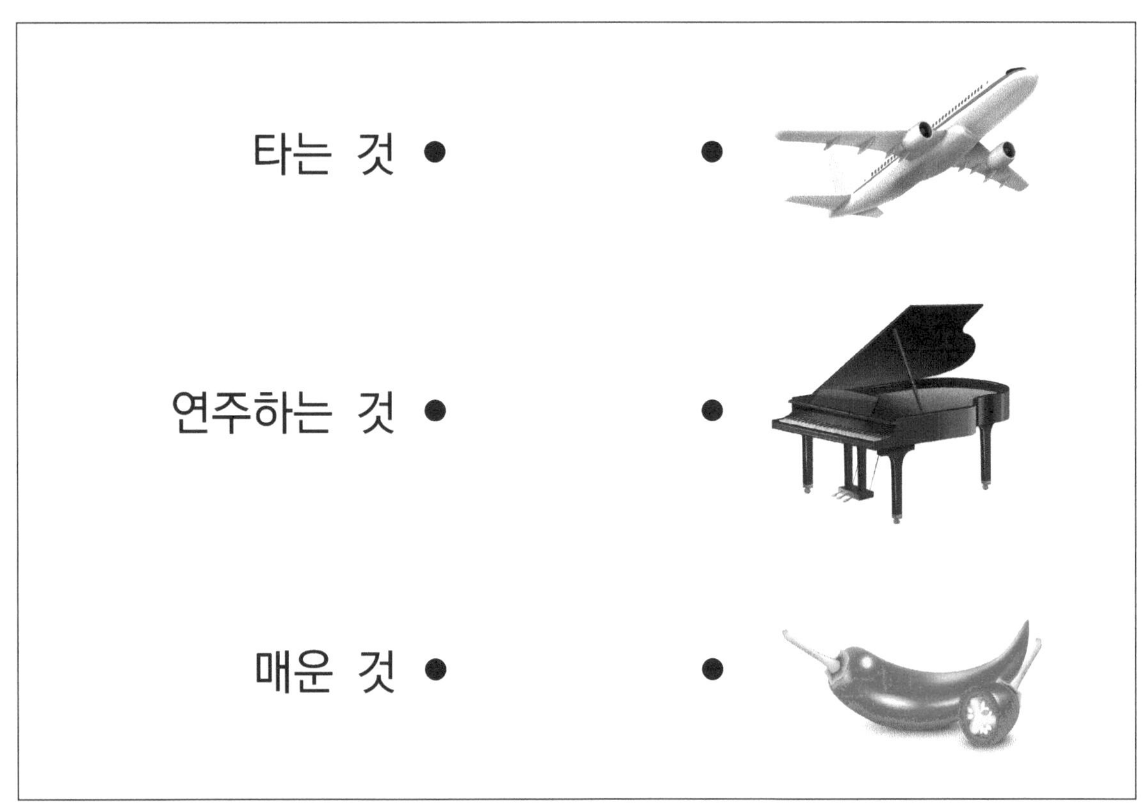

설명에 해당하는 그림을 짝지어 선으로 연결하세요.

메는 것 •　　　•

마시는 것 •　　　•

착용하는 것 •　　　•

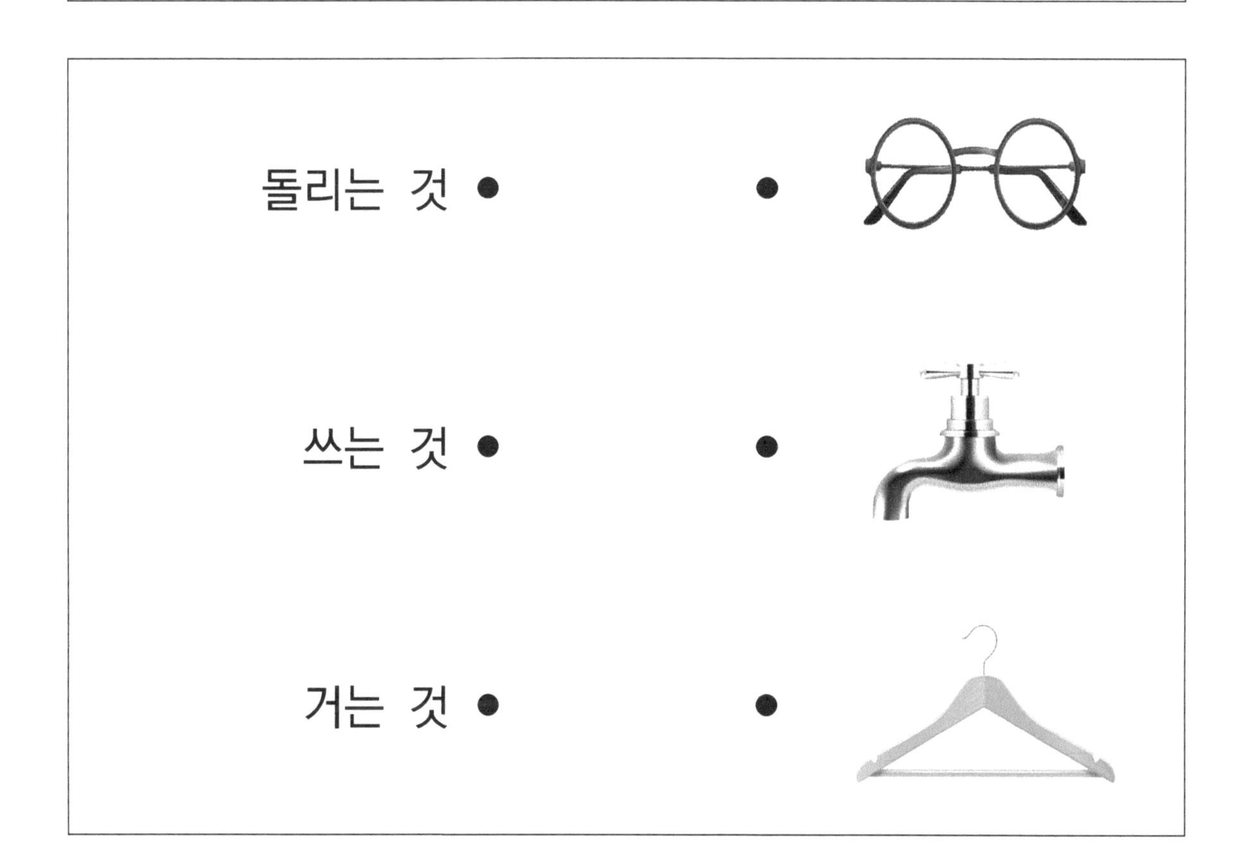

## 단어 이해

설명에 해당하는 그림을 짝지어 선으로 연결하세요.

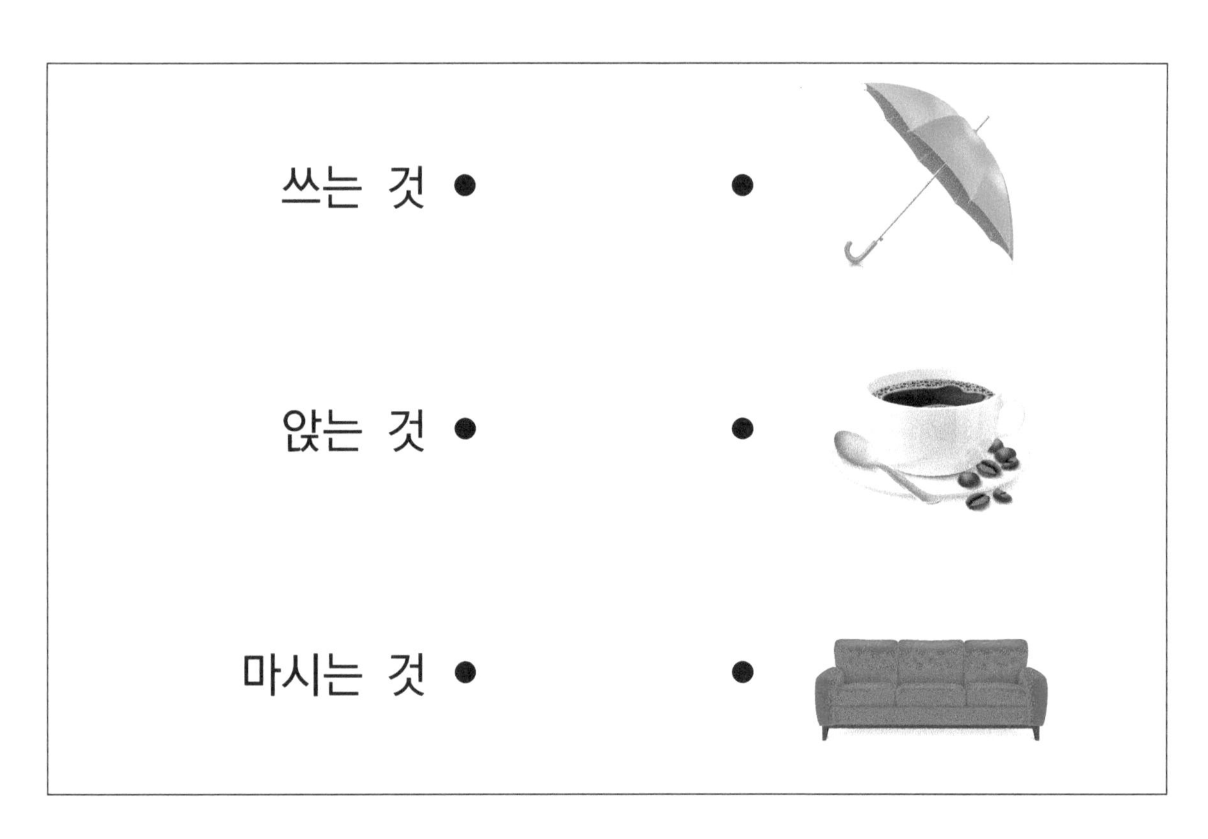


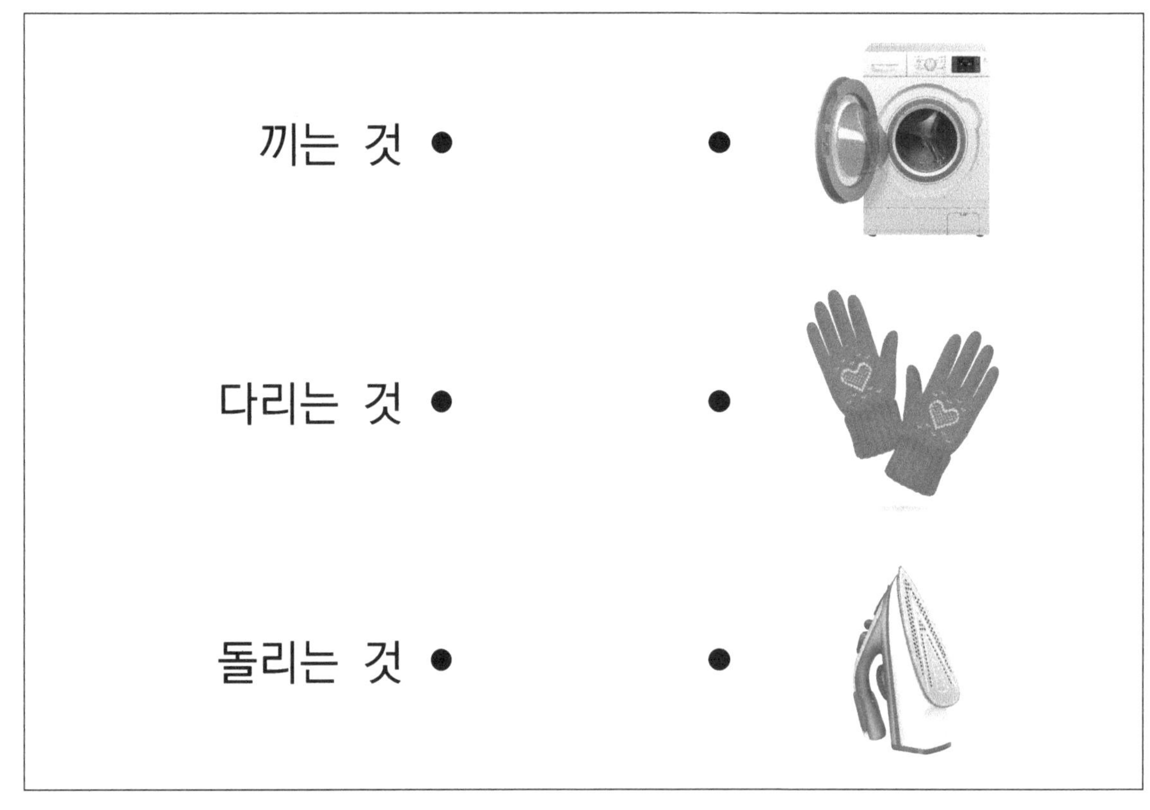

# 5. 동의어 찾기

같은 의미의 단어에 동그라미 치세요.

| | | | | |
|---|---|---|---|---|
| **그만하다** | : | 계속하다 | 멈추다 | 기만하다 |
| **나타나다** | : | 나서다 | 나가다 | 사라지다 |
| **가게** | : | 상담 | 상점 | 고개 |
| **구입하다** | : | 판매하다 | 구매하다 | 구비하다 |
| **기록하다** | : | 달다 | 거룩하다 | 쓰다 |
| **서점** | : | 책방 | 마트 | 서방 |
| **빛깔** | : | 초록 | 나무 | 색깔 |
| **달걀** | : | 만두 | 계란 | 쪽파 |
| **뽑다** | : | 빼다 | 만들다 | 자르다 |
| **길** | : | 신호등 | 도로 | 운동장 |

## 단어 이해

같은 의미의 단어에 동그라미 치세요.

| | | | | |
|---|---|---|---|---|
| **뛰다** | : | 걷다 | 달리다 | 앉다 |
| **늙다** | : | 젊다 | 나이 들다 | 예쁘다 |
| **어렵다** | : | 쉽다 | 까다롭다 | 어이없다 |
| **질문** | : | 질리다 | 묻다 | 문지르다 |
| **어지럽다** | : | 현기증 난다 | 예쁘다 | 심심하다 |
| **도서** | : | 책 | 종이 | 연필 |
| **습관** | : | 아이 | 버릇 | 책 |
| **정상** | : | 산 | 꼭대기 | 운동 |
| **결심하다** | : | 일하다 | 마음먹다 | 포기하다 |
| **성명** | : | 나이 | 이름 | 서명 |

# 단어 이해

같은 의미의 단어에 동그라미 치세요.

| | | | | |
|---|---|---|---|---|
| **어른** | : | 아이 | 남자 | 성인 |
| **함께** | : | 같이 | 혼자 | 함성 |
| **분명하다** | : | 틀리다 | 헷갈리다 | 확실하다 |
| **끝내다** | : | 시작하다 | 마치다 | 잊다 |
| **도박** | : | 도둑 | 노르스름 | 노름 |
| **영화관** | : | 극장 | 화면 | 수족관 |
| **가족** | : | 식구 | 엄마 | 자녀 |
| **착하다** | : | 악하다 | 선하다 | 나쁘다 |
| **빌리다** | : | 대여하다 | 반납하다 | 쓰다 |
| **고치다** | : | 망치다 | 수리하다 | 지치다 |

# 단어 이해

같은 의미의 단어에 동그라미 치세요.

| | | | | |
|---|---|---|---|---|
| **오리다** | : | 자르다 | 켜다 | 색칠하다 |
| **구부리다** | : | 휘다 | 꺼내다 | 겨루다 |
| **자랑하다** | : | 뽐내다 | 청소하다 | 모르다 |
| **뛰다** | : | 만들다 | 달리다 | 닦다 |
| **밝다** | : | 환하다 | 어둡다 | 연하다 |
| **동생** | : | 아우 | 언니 | 형 |
| **옷** | : | 신발 | 가방 | 의복 |
| **다투다** | : | 싸우다 | 돌보다 | 다르다 |
| **달리다** | : | 빠르다 | 걷다 | 뛰다 |
| **생선** | : | 어부 | 바다 | 물고기 |

# 6. 반의어 찾기

반대되는 의미의 단어에 동그라미 치세요.

| | | | | |
|---|---|---|---|---|
| **살다** | : | 거주하다 | 삼다 | 죽다 |
| **높다** | : | 크다 | 낮다 | 녹다 |
| **위** | : | 아래 | 하늘 | 상 |
| **남성** | : | 여주 | 여성 | 남자 |
| **밝다** | : | 아쉽다 | 알다 | 어둡다 |
| **춥다** | : | 쌀쌀하다 | 덥다 | 차갑다 |
| **움직이다** | : | 멈추다 | 가다 | 오다 |
| **삼키다** | : | 달리다 | 뱉다 | 던지다 |
| **보내다** | : | 받다 | 넘어지다 | 보태다 |
| **뚱뚱하다** | : | 길쭉하다 | 마르다 | 세다 |

# 단어 이해

반대되는 의미의 단어에 동그라미 치세요.

| | | | | |
|---|---|---|---|---|
| **깨끗하다** | : | 더럽다 | 맛있다 | 차갑다 |
| **탁하다** | : | 뾰족하다 | 맑다 | 피곤하다 |
| **시끄럽다** | : | 딱딱하다 | 조용하다 | 뜨겁다 |
| **남자** | : | 아이 | 사람 | 여자 |
| **위** | : | 위장 | 옆 | 아래 |
| **왼손** | : | 오른손 | 장갑 | 머리 |
| **낮** | : | 발 | 담 | 밤 |
| **느리다** | : | 늦다 | 빠르다 | 달리다 |
| **자르다** | : | 붙이다 | 접다 | 타다 |
| **녹이다** | : | 얼리다 | 춥다 | 흐르다 |

반대되는 의미의 단어에 동그라미 치세요.

| | | | | |
|---|---|---|---|---|
| **데우다** | : | 덥다 | 식히다 | 넓히다 |
| **밝다** | : | 빨갛다 | 보이다 | 어둡다 |
| **크다** | : | 거대하다 | 작다 | 자다 |
| **짧다** | : | 작다 | 길다 | 굵다 |
| **뜨겁다** | : | 차갑다 | 차지하다 | 멀다 |
| **쉽다** | : | 즐겁다 | 시다 | 어렵다 |
| **무겁다** | : | 가볍다 | 먹다 | 가렵다 |
| **부드럽다** | : | 거칠다 | 따뜻하다 | 졸리다 |
| **더럽다** | : | 깨끗하다 | 덥다 | 춥다 |
| **지루하다** | : | 뛰다 | 재미있다 | 아프다 |

# 단어 이해

반대되는 의미의 단어에 동그라미 치세요.

| | | | | |
|---|---|---|---|---|
| **가다** | : | 오다 | 주다 | 서다 |
| **바쁘다** | : | 한가하다 | 흥미롭다 | 슬프다 |
| **앉다** | : | 인사하다 | 부르다 | 서다 |
| **잠그다** | : | 열다 | 밀다 | 믿다 |
| **올라가다** | : | 오르다 | 내려가다 | 정리하다 |
| **켜다** | : | 쓰다 | 읽다 | 끄다 |
| **넓다** | : | 좁다 | 크다 | 가깝다 |
| **멀다** | : | 가깝다 | 넓다 | 좁다 |
| **뾰족하다** | : | 날카롭다 | 뭉뚝하다 | 예민하다 |
| **날카롭다** | : | 날쌔다 | 무섭다 | 무디다 |

# 8. 연상되는 낱말 찾기 (1)

단어 이해

왼쪽에 있는 단어를 보고, 오른쪽 보기 중에서 관련이 있는 단어를 찾아주세요.

| | | | | |
|---|---|---|---|---|
| **컵** | : | 주스 | 지우개 | 과자 |
| **세탁기** | : | 사자 | 세제 | 열쇠 |
| **종이** | : | 연필 | 액자 | 사탕 |
| **피아노** | : | 과자 | 사자 | 악보 |
| **옷** | : | 옷장 | 연필 | 냄비 |
| **신랑** | : | 목사 | 신부 | 스님 |
| **젓가락** | : | 숟가락 | 빨대 | 지우개 |
| **골프** | : | 사자 | 골프공 | 비닐 |
| **학교** | : | 선물 | 학생 | 토끼 |
| **카페** | : | 김치찌개 | 커피 | 안경 |

## 단어 이해

왼쪽에 있는 단어를 보고, 오른쪽 보기 중에서 관련이 있는 단어를 찾아주세요.

| | | | | |
|---|---|---|---|---|
| **칫솔** | : | 치약 | 수건 | 옷걸이 |
| **리모컨** | : | 볼펜 | 텔레비전 | 화장품 |
| **변기** | : | 안경 | 화장지 | 샴푸 |
| **종이** | : | 볼펜 | 항아리 | 파리채 |
| **도마** | : | 선풍기 | 빗 | 칼 |
| **연필** | : | 의자 | 지우개 | 마우스 |
| **숟가락** | : | 저울 | 젓가락 | 자석 |
| **모니터** | : | 볼펜 | 키보드 | 드라이기 |
| **귀걸이** | : | 목걸이 | 청소기 | 자전거 |
| **핸드폰** | : | 의자 | 충전기 | 자전거 |

# 단어 이해

왼쪽에 있는 단어를 보고, 오른쪽 보기 중에서 관련이 있는 단어를 찾아주세요.

| | | | | |
|---|---|---|---|---|
| **우산** | : | 비 | 선크림 | 휴지 |
| **썰매** | : | 이불 | 꽃 | 눈 |
| **운동화** | : | 테이프 | 발 | 의자 |
| **체중계** | : | 몸무게 | 체온 | 바지 |
| **과일** | : | 세제 | 사과 | 청소기 |
| **사진** | : | 비 | 카메라 | 로션 |
| **정수기** | : | 물 | 사탕 | 사과 |
| **김장** | : | 김치 | 감자 | 우산 |
| **엄마** | : | 나무 | 아빠 | 빵 |
| **빵** | : | 우유 | 고구마 | 냄비 |

# 단어 이해

왼쪽에 있는 단어를 보고, 오른쪽 보기 중에서 관련이 있는 단어를 찾아주세요.

| | | | | |
|---|---|---|---|---|
| **치킨** | : | 양말 | 맥주 | 핸드폰 |
| **필통** | : | 초콜릿 | 연필 | 화분 |
| **옷걸이** | : | 청소기 | 옷장 | 휴지 |
| **피아노** | : | 악보 | 벽돌 | 치약 |
| **화분** | : | 베개 | 꽃 | 청소기 |
| **소방관** | : | 숟가락 | 신발 | 불 |
| **눈** | : | 속눈썹 | 사탕 | 약 |
| **귀** | : | 반지 | 귀걸이 | 기차 |
| **발** | : | 안경 | 지갑 | 양말 |
| **바지** | : | 이마 | 혀 | 허리띠 |

# 8. 연상되는 낱말 찾기 (2)

단어 이해

| | | | | |
|---|---|---|---|---|
| **솜과 천** | : | 인형 | 로봇 | 블록 |
| **배추와 고춧가루** | : | 김치 | 감자 | 고기 |
| **모종삽과 씨앗** | : | 개천절 | 식목일 | 현충일 |
| **우산과 장화** | : | 장미 | 장마 | 감기 |
| **산모와 아기** | : | 출산 | 약국 | 양궁 |
| **토끼와 거북이** | : | 동화 | 안약 | 가방 |
| **군밤과 군고구마** | : | 여름 | 우물 | 겨울 |
| **파마와 염색** | : | 치과 | 미용실 | 학교 |
| **웨딩드레스와 부케** | : | 감옥 | 딸기 | 결혼 |
| **돌하르방과 귤** | : | 강원도 | 부산 | 제주도 |

# 단어 이해

왼쪽에 있는 단어를 보고, 오른쪽 보기 중에서 관련이 있는 단어를 찾아주세요.

| | | | | |
|---|---|---|---|---|
| **배추와 무** | : | 운동화 | 김장 | 장갑 |
| **자동차와 휘발유** | : | 세탁기 | 주유소 | 휴대폰 |
| **가위와 빗** | : | 미용실 | 치마 | 골프 |
| **팝콘과 티켓** | : | 학교 | 영화관 | 파마 |
| **커피와 차** | : | 소방차 | 카페 | 피리 |
| **여권과 티켓** | : | 비행기 | 공원 | 세수 |
| **지폐와 동전** | : | 핸드폰 | 지갑 | 열쇠 |
| **숟가락과 젓가락** | : | 강아지 | 식사 | 달리기 |
| **공과 라켓** | : | 수영 | 테니스 | 복싱 |
| **수세미와 세제** | : | 설거지 | 목욕 | 빨래 |

왼쪽에 있는 단어를 보고, 오른쪽 보기 중에서 관련이 있는 단어를 찾아주세요.

| | | | | |
|---|---|---|---|---|
| **배추와 당근** | : | 채소 | 과일 | 곡식 |
| **감기와 주사** | : | 병원 | 지하철 | 편의점 |
| **키보드와 마우스** | : | TV | 핸드폰 | 컴퓨터 |
| **칫솔과 치약** | : | 양치 | 숲 | 김치 |
| **투수와 타자** | : | 볼링 | 야구 | 축구 |
| **떡과 고추장** | : | 떡볶이 | 스파게티 | 햄버거 |
| **베개와 이불** | : | 침대 | 책상 | 화장대 |
| **수갑과 총** | : | 경찰관 | 소방관 | 선생님 |
| **청진기와 가운** | : | 의사 | 간호사 | 아저씨 |
| **국자와 냄비** | : | 요리 | 나들이 | 창문 |

# 9. 범주에 해당하는 단어 찾기

왼쪽의 범주에 해당하는 단어를 모두 찾아서 표시하세요.

| 동물 | | | |
|---|---|---|---|
| | 토끼 | 다람쥐 | 곰 |
| | 젤리 | 고양이 | 컵 |
| | 강아지 | 책 | 의자 |

| 계절 | | | |
|---|---|---|---|
| | 봄 | 밤 | 고구마 |
| | 여름 | 가을 | 겨울 |
| | 거울 | 물 | 마을 |

| 탈 것 | | | |
|---|---|---|---|
| | 자동차 | 수건 | 기차 |
| | 배 | 버스 | 요트 |
| | 의자 | 그릇 | 연필 |

왼쪽의 범주에 해당하는 단어를 모두 찾아서 표시하세요.

| 병원 | 산부인과 | 방앗간 | 안과 |
|---|---|---|---|
| | 중국집 | 내과 | 정형외과 |
| | 겨울 | 이비인후과 | 의자 |

| 악기 | 소리 | 박자 | 동물 |
|---|---|---|---|
| | 바이올린 | 악보 | 첼로 |
| | 실로폰 | 북 | 탬버린 |

| 꽃 | 장미 | 개나리 | 벚꽃 |
|---|---|---|---|
| | 화가 | 공책 | 민들레 |
| | 안경 | 컴퓨터 | 채송화 |

# 단어 이해

왼쪽의 범주에 해당하는 단어를 모두 찾아서 표시하세요.

| 과일 | 사과 | 복숭아 | 어묵 |
|---|---|---|---|
| | 젤리 | 딸기 | 수박 |
| | 아이스크림 | 망고 | 잡채 |

| 숫자 | 하나 | 열다섯 | 사랑 |
|---|---|---|---|
| | 일곱 | 여덟 | 국밥 |
| | 스물셋 | 아파트 | 주차장 |

| 얼굴 부위 | 발가락 | 눈썹 | 코 |
|---|---|---|---|
| | 손톱 | 볼 | 광대 |
| | 겨드랑이 | 눈 | 입술 |

왼쪽의 범주에 해당하는 단어를 모두 찾아서 표시하세요.

| **의류** | 개구리 | 라이터 | 양말 |
|---|---|---|---|
| | 커피 | 코트 | 컴퓨터 |
| | 바지 | 빨대 | 컵 |

| **채소** | 볼펜 | 여우 | 상추 |
|---|---|---|---|
| | 딸기 | 배추 | 가방 |
| | 시계 | 가지 | 마늘 |

| **호칭** | 고모 | 안경 | 할머니 |
|---|---|---|---|
| | 선글라스 | 손주 | 콘센트 |
| | 운동화 | 며느리 | 바가지 |

# 단어 이해

왼쪽의 범주에 해당하는 단어를 모두 찾아서 표시하세요.

| | | | |
|---|---|---|---|
| **색깔** | 빨강 | 고무줄 | 팬티 |
| | 파랑 | 귤 | 로션 |
| | 샴푸 | 무릎 | 노랑 |

| | | | |
|---|---|---|---|
| **공구** | 송곳 | 옷걸이 | 세탁기 |
| | 망치 | 창문 | 자동차 |
| | 반지 | 드라이버 | 명란젓 |

| | | | |
|---|---|---|---|
| **동물** | 컴퓨터 | 고양이 | 강아지 |
| | 의자 | 버스 | 기린 |
| | 클립 | 변기 | 악어 |

왼쪽의 범주에 해당하는 단어를 모두 찾아서 표시하세요.

| 가전제품 | 침대 | 전자레인지 | 쇼파 |
| --- | --- | --- | --- |
| | 냉장고 | 세탁기 | 화장대 |
| | TV | 쓰레기통 | 책상 |

| 도형 | 네모 | 색종이 | 삼각형 |
| --- | --- | --- | --- |
| | 동그라미 | 이불 | 인형 |
| | 가로등 | 정사각형 | 마름모 |

| 운동 종목 | 야구 | 테니스 | 약 |
| --- | --- | --- | --- |
| | 축구 | 트럭 | 숟가락 |
| | 부엌 | 쇼파 | 다섯 |

# 10. 상위어 찾기

단어를 포함하는 범주를 〈보기〉에서 찾아주세요.

| | | | | | 범주 |
|---|---|---|---|---|---|
| (1) | 봄 | 여름 | 가을 | 겨울 | (계절) |
| (2) | 자동차 | 배 | 비행기 | 기차 | |
| (3) | 맑음 | 흐림 | 소나기 | 안개 | |
| (4) | 사과 | 복숭아 | 포도 | 오렌지 | |
| (5) | 야구 | 수영 | 축구 | 농구 | |
| (6) | 선생님 | 의사 | 가수 | 약사 | |

〈범주 보기〉

**① 날씨** **② 과일** **③ 직업**

**④ 운동** **⑤ 탈 것** **⑥ 계절**

단어를 포함하는 범주를 <보기>에서 찾아주세요.

| | | | | | 범주 |
|---|---|---|---|---|---|
| (1) | 스파게티 | 잡채 | 순대 | 토스트 | |
| (2) | 포도 | 한라봉 | 참외 | 키위 | |
| (3) | 이탈리아 | 태국 | 스페인 | 호주 | |
| (4) | 텔레비전 | 냉장고 | 세탁기 | 에어컨 | |
| (5) | 연필 | 지우개 | 공책 | 필통 | |
| (6) | 의자 | 식탁 | 침대 | 쇼파 | |

〈범주 보기〉

**① 과일** **② 나라 이름** **③ 음식**

**④ 가구** **⑤ 가전제품** **⑥ 학용품**

# 단어 이해

단어를 포함하는 범주를 〈보기〉에서 찾아주세요.

| | | | | | 범주 |
|---|---|---|---|---|---|
| (1) | 고릴라 | 호랑이 | 곰 | 토끼 | |
| (2) | 바나나 | 망고 | 자두 | 참외 | |
| (3) | 라면 | 떡볶이 | 김밥 | 쫄면 | |
| (4) | 무궁화 | 튤립 | 장미 | 해바라기 | |
| (5) | 팔찌 | 목걸이 | 귀걸이 | 반지 | |
| (6) | 카트 | 장바구니 | 카드 | 물건 | |

〈범주 보기〉

**① 꽃 ② 악세사리 ③ 음식**

**④ 쇼핑 ⑤ 동물 ⑥ 과일**

단어를 포함하는 범주를 〈보기〉에서 찾아주세요.

| | | | | | 범주 |
|---|---|---|---|---|---|
| (1) | 야구 | 피구 | 농구 | 축구 | |
| (2) | 의자 | 침대 | 식탁 | 옷장 | |
| (3) | 터키 | 그리스 | 스페인 | 인도 | |
| (4) | 기쁨 | 슬픔 | 창피 | 분노 | |
| (5) | 십이 | 이십오 | 사십구 | 칠 | |
| (6) | 갈비 | 샐러드 | 잡채 | 쌀국수 | |

〈범주 보기〉

**① 숫자　② 감정　③ 음식**

**④ 가구　⑤ 나라 이름　⑥ 운동 종목**

# 단어 이해

단어를 포함하는 범주를 〈보기〉에서 찾아주세요.

| | | | | | 범주 |
|---|---|---|---|---|---|
| (1) | 오리 | 닭 | 꿩 | 독수리 | |
| (2) | 뜨개질 | 독서 | 십자수 | 종이접기 | |
| (3) | 육군 | 해군 | 공군 | 해병대 | |
| (4) | 탁구공 | 볼링공 | 축구공 | 골프공 | |
| (5) | 장구 | 꽹과리 | 북 | 징 | |
| (6) | 토마토주스 | 콜라 | 사이다 | 커피 | |

〈범주 보기〉

**① 사물놀이 악기** **② 취미** **③ 음료**

**④ 군대** **⑤ 공** **⑥ 새**

단어를 포함하는 범주를 〈보기〉에서 찾아주세요.

| | | | | | 범주 |
|---|---|---|---|---|---|
| (1) | 성탄절 | 설날 | 추석 | 개천절 | |
| (2) | 운동화 | 슬리퍼 | 구두 | 부츠 | |
| (3) | 해장국 | 순댓국 | 쌀국수 | 삼겹살 | |
| (4) | 칫솔 | 면도기 | 샴푸 | 비누 | |
| (5) | 턱 | 무릎 | 손가락 | 허벅지 | |
| (6) | 반바지 | 치마 | 코트 | 셔츠 | |

〈범주 보기〉

① 의류 ② 공휴일 ③ 신발

④ 음식 ⑤ 세면도구 ⑥ 신체부위

## 11. 범주가 다른 낱말 찾기

공통되지 않은 낱말 하나를 골라보세요.

| | | | | |
|---|---|---|---|---|
| (1) | 의자 | 책상 | ~~리모컨~~ | 서랍장 |

(이유: 나머지는 가구인데 리모컨은 가구가 아니다)

| | | | | |
|---|---|---|---|---|
| (2) | 연필 | 자전거 | 버스 | 기차 |
| (3) | 과자 | 사탕 | 빵 | 의자 |
| (4) | 당근 | 사과 | 양파 | 옥수수 |
| (5) | 전자렌지 | 컴퓨터 | 텔레비전 | 편지 |
| (6) | 장미 | 소나무 | 국화 | 할미꽃 |
| (7) | 해삼 | 다슬기 | 꽃게 | 홍합 |
| (8) | 드라마 | 로맨스 | 공포 | 주스 |
| (9) | 머리 | 병아리 | 발 | 가슴 |

공통되지 않은 낱말 하나를 골라보세요.

| | | | | |
|---|---|---|---|---|
| (10) | 호박 | 감자 | 옷장 | 가지 |
| (11) | 검정 | 새우 | 빨강 | 노랑 |
| (12) | 구두 | 빨래 | 운동화 | 장화 |
| (13) | 도마 | 칼 | 쟁반 | 고무줄 |
| (14) | 키위 | 볼펜 | 공책 | 연필 |
| (15) | 고래 | 상어 | 오징어 | 핸드크림 |
| (16) | 사과 | 딸기 | 배 | 감자 |
| (17) | 세탁기 | 청소기 | 책 | 냉장고 |
| (18) | 연필 | 지우개 | 사진 | 볼펜 |
| (19) | 사이다 | 콜라 | 커피 | 마우스 |

# 단어 이해

공통되지 않은 낱말 하나를 골라보세요.

| | | | | |
|---|---|---|---|---|
| (10) | 수영 | 농구 | 부산 | 골프 |
| (11) | 비행기 | 귤 | 오토바이 | 자전거 |
| (12) | 배추 | 깻잎 | 서랍 | 시금치 |
| (13) | 주스 | 커피 | 사이다 | 햄버거 |
| (14) | 한식 | 일식 | 호텔 | 중식 |
| (15) | 머리띠 | 모자 | 머리끈 | 양말 |
| (16) | 선생님 | 의사 | 소방관 | 나무 |
| (17) | 주택 | 백화점 | 빌라 | 아파트 |
| (18) | 감자 | 양파 | 당근 | 가위 |
| (19) | 포도 | 침대 | 옷장 | 의자 |

공통되지 않은 낱말 하나를 골라보세요.

| | | | | |
|---|---|---|---|---|
| (20) | 피아노 | 바이올린 | 기타 | 냄비 |
| (21) | 치마 | 바지 | 티셔츠 | 고양이 |
| (22) | 강아지 | 하마 | 원숭이 | 케이크 |
| (23) | 엉덩이 | 겨드랑이 | 체온계 | 뺨 |
| (24) | 초록색 | 파란색 | 어색 | 흰색 |
| (25) | 국화 | 민들레 | 소나무 | 코스모스 |
| (26) | 거울 | 빌라 | 아파트 | 주택 |
| (27) | 사다리 | 구급차 | 소방차 | 경찰차 |
| (28) | 기타 | 북 | 피아노 | 의자 |
| (29) | 비행기 | 버스 | 배 | 청소기 |

# 단어 표현

- ❖ 양순음 발음
- ❖ 치경음 발음
- ❖ 마찰음 발음
- ❖ 자동구어
- ❖ 짝이 되는 단어
- ❖ 대답 선택하기
- ❖ 범주별 생성이름대기
- ❖ 음소 생성이름대기
- ❖ 초성 단어
- ❖ 끝말잇기
- ❖ 반의어
- ❖ 글자 순서 맞추기
- ❖ 그림 보고 이름대기
- ❖ 설명 듣고 이름대기
- ❖ 힌트 보고 단어 맞추기

# 1. 양순음 발음

아래의 단어를 큰 소리로 읽거나 따라 말하세요.
위-아래 입술을 힘있게 붙였다 떼면서 발음하세요.

| /ㅁ/<br>1음절 | 말 | 못 | 문 |
|---|---|---|---|
| | 묵 | 무 | 물 |
| | 몸 | 목 | 매 |

| /ㅁ/<br>2음절 | 맷돌 | 마술 | 무대 |
|---|---|---|---|
| | 만두 | 마실 | 무순 |
| | 마음 | 매미 | 모자 |

| /ㅁ/<br>3음절 이상 | 매운탕 | 마시멜로 | 마이크 |
|---|---|---|---|
| | 마스크 | 마요네즈 | 머리띠 |
| | 미용실 | 무지개 | 물만두 |

아래의 단어를 큰 소리로 읽거나 따라 말하세요.
위-아래 입술을 힘있게 붙였다 떼면서 발음하세요.

| /ㅂ/ 1음절 | 밥 | 밤 | 범 |
|---|---|---|---|
| | 법 | 북 | 방 |
| | 배 | 뱀 | 벌 |

| /ㅂ/ 2음절 | 바지 | 방석 | 바순 |
|---|---|---|---|
| | 배우 | 분필 | 볼펜 |
| | 부부 | 부리 | 부채 |

| /ㅂ/ 3음절 이상 | 바나나 | 바퀴벌레 | 보자기 |
|---|---|---|---|
| | 바이러스 | 바이올린 | 바구니 |
| | 병아리 | 보라색 | 배춧국 |

# 단어 표현

아래의 단어를 큰 소리로 읽거나 따라 말하세요.
위-아래 입술을 힘있게 붙였다 떼면서 발음하세요.

| /ㅃ/<br>1음절 | | | |
|---|---|---|---|
| | 빵 | 빰 | 뼈 |
| | 뿔 | 빠 | 삐 |
| | 뿌 | 빼 | 뽀 |

| /ㅃ/<br>2음절 | | | |
|---|---|---|---|
| | 뽀뽀 | 빨대 | 빼기 |
| | 뿌리 | 빨래 | 식빵 |
| | 아빠 | 호빵 | 오빠 |

| /ㅃ/<br>3음절 이상 | | | |
|---|---|---|---|
| | 빼빼로 | 삐에로 | 빨간색 |
| | 빠삐코 | 뻐꾸기 | 빨래통 |
| | 뾰루지 | 삐뚤빼뚤 | 바쁘다 |

아래의 단어를 큰 소리로 읽거나 따라 말하세요.
위-아래 입술을 힘있게 붙였다 떼면서 발음하세요.

| /ㅍ/ 1음절 | | | |
|---|---|---|---|
| | 풀 | 파 | 피 |
| | 펑 | 푹 | 판 |
| | 팽 | 포 | 푸 |

| /ㅍ/ 2음절 | | | |
|---|---|---|---|
| | 파랑 | 피리 | 폭포 |
| | 포도 | 포크 | 피자 |
| | 소파 | 수표 | 방패 |

| /ㅍ/ 3음절 이상 | | | |
|---|---|---|---|
| | 파인애플 | 피라미드 | 파쇄기 |
| | 포장지 | 팽이치기 | 파란색 |
| | 파도타기 | 피아노 | 표지판 |

## 2. 치경음 발음

아래의 단어를 큰 소리로 읽거나 따라 말하세요.
혀끝을 앞니 뒷부분에 정확히 붙였다 떼세요.

| /ㄴ/ 1음절 | | | |
|---|---|---|---|
| | 나 | 내 | 눈 |
| | 녹 | 놈 | 낫 |
| | 냉 | 논 | 너 |

| /ㄴ/ 2음절 | | | |
|---|---|---|---|
| | 나비 | 나팔 | 나이 |
| | 노랑 | 농구 | 누나 |
| | 뉴스 | 날개 | 낙타 |

| /ㄴ/ 3음절 이상 | | | |
|---|---|---|---|
| | 노숙자 | 느티나무 | 나들이 |
| | 노른자 | 납세자 | 너구리 |
| | 노가리 | 노란색 | 냉이 나물 |

아래의 단어를 큰 소리로 읽거나 따라 말하세요.
혀끝을 앞니 뒷부분에 정확히 붙였다 떼세요.

| /ㄷ/ 1음절 | 달 | 동 | 돌 |
|---|---|---|---|
| | 둘 | 둑 | 닭 |
| | 댐 | 등 | 돛 |

| /ㄷ/ 2음절 | 도끼 | 도로 | 대추 |
|---|---|---|---|
| | 댕기 | 도구 | 도마 |
| | 두통 | 다리 | 대문 |

| /ㄷ/ 3음절 이상 | 돋보기 | 대머리 | 도깨비 |
|---|---|---|---|
| | 도라지 | 동대문 | 디딤돌 |
| | 드라이버 | 다리미 | 당나귀 |

# 단어 표현

아래의 단어를 큰 소리로 읽거나 따라 말하세요.
혀끝을 앞니 뒷부분에 정확히 붙였다 떼세요.

| /ㄸ/<br>1음절 | | | |
|---|---|---|---|
| | 띠 | 땀 | 또 |
| | 때 | 뚜 | 뚝 |
| | 땅 | 뜸 | 떡 |

| /ㄸ/<br>2음절 | | | |
|---|---|---|---|
| | 딸기 | 땅콩 | 뚜껑 |
| | 뚱뚱 | 딱딱 | 땀띠 |
| | 딱지 | 뛰다 | 또래 |

| /ㄸ/<br>3음절 이상 | | | |
|---|---|---|---|
| | 떡갈비 | 딱따구리 | 딱딱하다 |
| | 뛰어가다 | 따개비 | 띄어쓰기 |
| | 때리다 | 똑같다 | 땅따먹기 |

아래의 단어를 큰 소리로 읽거나 따라 말하세요.
혀끝을 앞니 뒷부분에 정확히 붙였다 떼세요.

| /ㅌ/ 1음절 | 티 | 탑 | 토 |
|---|---|---|---|
| | 통 | 탈 | 턱 |
| | 톱 | 톳 | 탕 |

| /ㅌ/ 2음절 | 타조 | 투표 | 토끼 |
|---|---|---|---|
| | 탁자 | 탁구 | 통장 |
| | 택시 | 탱크 | 튀김 |

| /ㅌ/ 3음절 이상 | 타지마할 | 텔레비전 | 트로피 |
|---|---|---|---|
| | 테이프 | 태극기 | 테이블 |
| | 태진아 | 토마토 | 트로트 |

## 단어 표현

# 3. 마찰음 발음

아래의 단어를 큰 소리로 읽거나 따라 말하세요.
혀끝과 윗니 사이로 바람이 새어나가도록 발음하세요.

| /ㅅ/ 1음절 | 새 | 소 | 솜 |
|---|---|---|---|
| | 산 | 심 | 수 |
| | 싱 | 상 | 신 |

| /ㅅ/ 2음절 | 사슴 | 소망 | 시소 |
|---|---|---|---|
| | 상자 | 사과 | 색칠 |
| | 사실 | 소금 | 사랑 |

| /ㅅ/ 3음절 이상 | 송아지 | 사슴벌레 | 수사슴 |
|---|---|---|---|
| | 수의사 | 소아과 | 수사자 |
| | 손톱깎이 | 손수건 | 사이다 |

아래의 단어를 큰 소리로 읽거나 따라 말하세요.
혀끝과 윗니 사이로 바람이 새어나가도록 발음하세요.

| /ㅆ/ 1음절 | | | |
|---|---|---|---|
| | 씨 | 쑥 | 쏙 |
| | 싹 | 쌀 | 쌈 |
| | 썰 | 썸 | 씩 |

| /ㅆ/ 2음절 | | | |
|---|---|---|---|
| | 싸 | 씨앗 | 씨름 |
| | 썰매 | 쌀통 | 쌈장 |
| | 날씨 | 찹쌀 | 보쌈 |

| /ㅆ/ 3음절 이상 | | | |
|---|---|---|---|
| | 씨암탉 | 싸인펜 | 싸우다 |
| | 쌍둥이 | 쓰레기통 | 쑥대밭 |
| | 썰매장 | 쌍쌍바 | 쑥대머리 |

# 4. 자동 구어

 예전에 입에서 자동으로 술술 나오던 말입니다.
처음을 시작해 드릴 테니 끝까지 완성해보세요.

(1) 숫자 세기 : 하나, 둘 ~? ______

(2) 숫자 세기 : 일, 이, ~? ______

(3) 요일 : 월, 화 ~? ______

(4) 한글 : 가, 나, 다, 라 ~? ______

(5) 계이름 : 도, 레 ~? ______

(6) 색깔 : 빨, 주, 노 ~? ______

(7) 영어 : A, B ~? ______

(8) 계절 : 봄, 여름 ~? ______

(9) 성적 : 수, 우 ~? ______

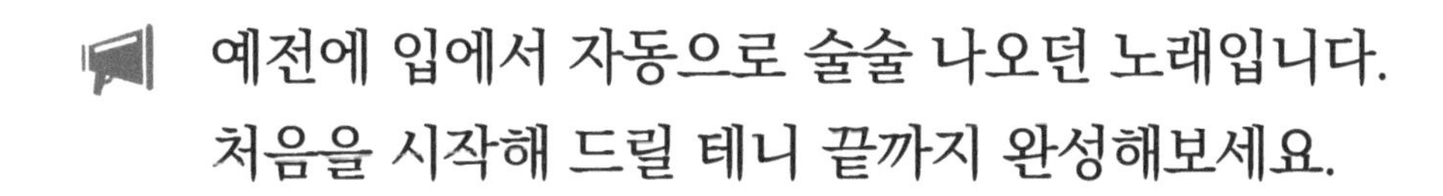

예전에 입에서 자동으로 술술 나오던 노래입니다.
처음을 시작해 드릴 테니 끝까지 완성해보세요.

|  |  |  |
| --- | --- | --- |
| (1) | 애국가 | : 동~해물과 ~♬ |
| (2) | 어머나 | : 어머나, 어머나 ~♬<br>(장윤정의 [어머나]) |
| (3) | 산토끼 | : 산~토끼 토끼야 ~♬ |
| (4) | 나비 | : 나비야, 나비야 ~♬ |
| (5) | 생일축하 | : 생일 축하 합니다 ~♬ |
| (6) | 신체 노래 | : 머리~ 어깨 무릎 ~♬ |
| (7) | 아리랑 | : 아리랑~ 아리랑 ~? |
| (8) | 곰세마리 | : 곰 세마리가 ~? |
| (9) | 남행열차 | : 비 내리는 ~? |

## 5. 짝이 되는 단어

단어를 보고 짝이 되는 단어를 완성해 주세요.
보호자가 첫 번째 단어를 선창한 후 환자에게 손짓하여
환자가 대답할 차례임을 알려주세요.

(1) '엄마'와 ? (아빠) ______________________________

(2) '해'와 ? ______________________________

(3) '콩쥐' ? ______________________________

(4) '실'과 ? ______________________________

(5) '오전' ? ______________________________

(6) '할머니' ? ______________________________

(7) '가로' ? ______________________________

(8) '왼쪽' ? ______________________________

(9) '숟가락'과 ? ______________________________

단어를 보고 짝이 되는 단어를 완성해 주세요.
보호자가 첫 번째 단어를 선창한 후 환자에게 손짓하여
환자가 대답할 차례임을 알려주세요.

(1) '소금'과 ? ________________

(2) '여자'와 ? ________________

(3) '낮'과 ? ________________

(4) '언니' ? ________________

(5) '너'와 ? ________________

(6) '이쪽' ? ________________

(7) '삐뚤' ? ________________

(8) '들쑥' ? ________________

(9) '위' ? ________________

# 6. 대답 선택하기

질문을 잘 듣고 두 개 중에 골라서 대답하세요.

(1) 여름이 좋아요, 겨울이 좋아요? (겨울) ________

(2) 산이 좋아요, 바다가 좋아요? ________

(3) 콜라가 좋아요, 사이다가 좋아요? ________

(4) 치킨이 좋아요, 피자가 좋아요? ________

(5) 트로트가 좋아요, 발라드가 좋아요? ________

(6) 물냉면이 좋아요, 비빔냉면이 좋아요? ________

(7) 드라마가 재미있어요, 뉴스가 재미있어요? ________

(8) 사탕이 좋아요, 초콜릿이 좋아요? ________

(9) 라면이 좋아요, 밥이 좋아요? ________

(10) 빵이 좋아요, 떡이 좋아요? ________

질문을 잘 듣고 두 개 중에 골라서 대답하세요.

(1) 손에 있는 것은 손톱인가요, 발톱인가요? ____________

(2) 본인은 남자예요, 여자예요? ____________

(3) 여기는 집이에요, 병원이에요? ____________

(4) 지금은 낮이에요, 밤이에요? ____________

(5) 수박은 여름 과일이에요, 겨울 과일이에요? ____________

(6) 굴비는 과일이에요, 생선이에요? ____________

(7) 개나리는 노란색이에요, 빨간색이에요? ____________

(8) 벚꽃은 봄에 피어요, 가을에 피어요? ____________

(9) 인도 위로는 차가 다니나요, 사람이 다니나요? ____________

(10) 변기는 화장실에 있나요, 주방에 있나요? ____________

# 7. 범주별 생성이름대기

조건에 해당하는 단어를 최대한 많이 말씀해 보세요.
10개 이상을 목표로 말씀해 보세요.

(1) 가구 : 책상, 의자...
또 '가구'에는 어떤 것들이 있나요?

(2) 동물 :

(3) 교통수단 :

(4) 나라 이름 ;

(5) 주방용품 :

(6) 세면도구 :

(7) 곤충 :

(8) 악기 :

(9) 직업 :

조건에 해당하는 단어를 최대한 많이 말씀해 보세요.
10개 이상을 목표로 말씀해 보세요.

(10) 운동 종목 : ____________________

(11) 색깔 : ____________________

(12) 음료수 : ____________________

(13) 반찬 종류 ; ____________________

(14) 국 종류 : ____________________

(15) 사무용품 : ____________________

(16) 모양 : ____________________

(17) 꽃 : ____________________

(18) 나무 : ____________________

# 단어 표현

조건에 해당하는 단어를 최대한 많이 말씀해 보세요.
10개 이상을 목표로 말씀해 보세요.

(19) 초록색인 것 : ____________________

(20) 부드러운 것 : ____________________

(21) 녹는 것 : ____________________

(22) 차가운 것 ; ____________________

(23) 향기가 나는 것 : ____________________

(24) 날카로운 것 : ____________________

(25) 네모난 것 : ____________________

(26) 화장실에 있는 것 : ____________________

(27) 하늘에 있는 것 : ____________________

# 8. 음소 생성이름대기



주어진 글자로 시작하는 단어를 최대한 많이 말씀해 보세요.
10개 이상을 목표로 말씀해 보세요.

(1) ㅅ : 사과, 산소...
또 'ㅅ'으로 시작하는 단어는 무엇인가요?

(2) ㅇ :

(3) ㄹ :

(4) ㅊ ;

(5) ㅋ :

(6) ㄴ :

(7) ㄱ :

(8) ㄷ :

(9) ㅎ :

# 9. 초성 단어

제시된 첫소리로 시작하는 단어를 최대한 많이 말씀하세요.
10개 이상을 목표로 말씀해 보세요.

(1) ㄱ ㅊ : 김치, 고추...
또 'ㄱ ㅊ'으로 시작하는 단어는?

(2) ㄷ ㄹ :

(3) ㄱ ㅁ :

(4) ㄹ ㅂ ;

(5) ㅅ ㄱ :

(6) ㅇ ㄱ :

(7) ㄱ ㅂ :

(8) ㄷ ㄹ :

(9) ㄴ ㅁ :

제시된 첫소리로 시작하는 단어를 최대한 많이 말씀하세요.
10개 이상을 목표로 말씀해 보세요.

(10) ㅇ ㅅ : ________________

(11) ㅅ ㄷ : ________________

(12) ㄱ ㅇ : ________________

(13) ㄷ ㅅ ; ________________

(14) ㅇ ㅇ : ________________

(15) ㅇ ㅂ : ________________

(16) ㅅ ㅇ : ________________

(17) ㄱ ㅈ : ________________

(18) ㅇ ㄴ : ________________

# 단어 표현

제시된 첫소리로 시작하는 단어를 최대한 많이 말씀하세요.
10개 이상을 목표로 말씀해 보세요.

(19) ㅅ ㅈ :

(20) ㅊ ㅂ :

(21) ㄱ ㄷ :

(22) ㅇ ㅊ ;

(23) ㅁ ㅇ :

(24) ㄴ ㅂ :

(25) ㅂ ㅈ :

(26) ㅊ ㅈ :

(27) ㅅ ㅅ :

제시된 첫소리로 시작하는 단어를 최대한 많이 말씀하세요.
10개 이상을 목표로 말씀해 보세요.

(28) ㅂ ㄹ : ______________________

(29) ㅇ ㅎ : ______________________

(30) ㅁ ㄱ : ______________________

(31) ㄴ ㅂ ; ______________________

(32) ㄱ ㄱ : ______________________

(33) ㅂ ㄱ : ______________________

(34) ㅁ ㄱ : ______________________

(35) ㅇ ㅂ : ______________________

(36) ㅁ ㄹ : ______________________

# 10. 끝말잇기

첫 단어를 보고 끝말잇기를 시작해봅시다.
10개 이상 연결해 보세요.

(1) 고구마 ▶ (마무리) ▶ (리본) ▶ (본드)
▶ (드라이버) ▶ (버스) ▶ ▶
▶ ▶ ▶ ▶

(2) 기린 ▶ ▶ ▶
▶ ▶ ▶ ▶
▶ ▶ ▶ ▶

(3) 고양이 ▶ ▶ ▶
▶ ▶ ▶ ▶
▶ ▶ ▶ ▶

첫 단어를 보고 끝말잇기를 시작해봅시다.
10개 이상 연결해 보세요.

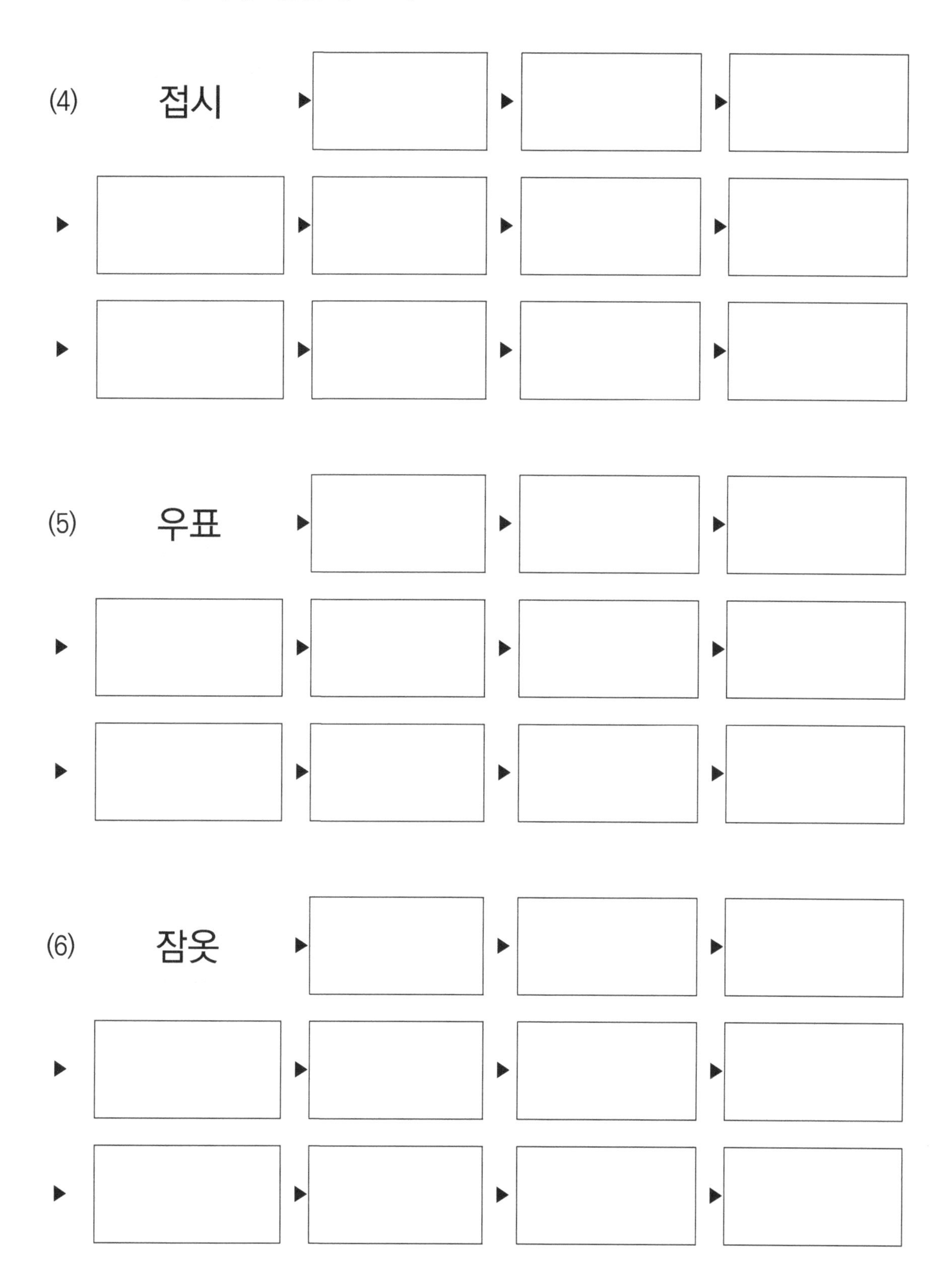

# 단어 표현

첫 단어를 보고 끝말잇기를 시작해봅시다.
10개 이상 연결해 보세요.

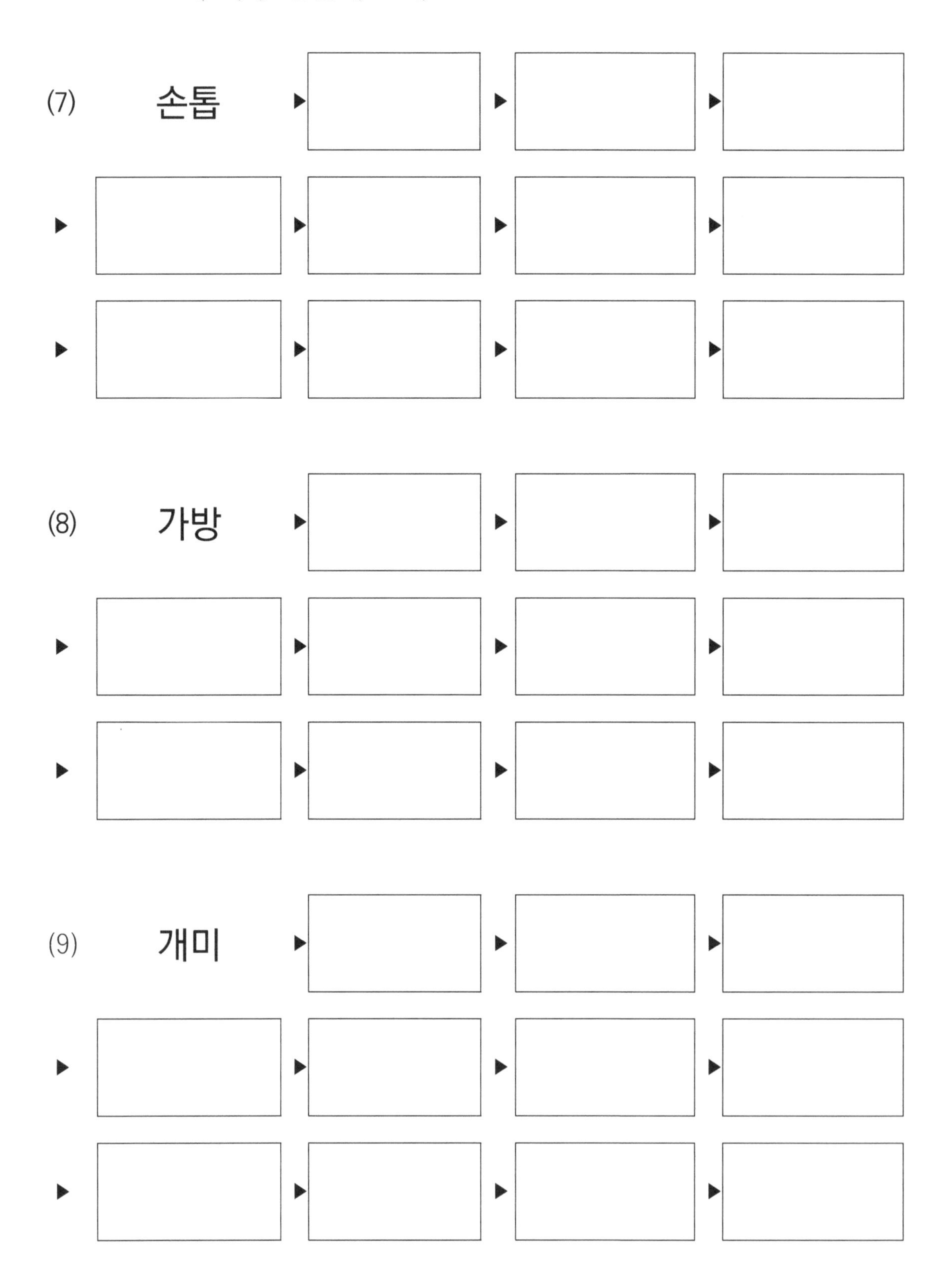

첫 단어를 보고 끝말잇기를 시작해봅시다.
10개 이상 연결해 보세요.

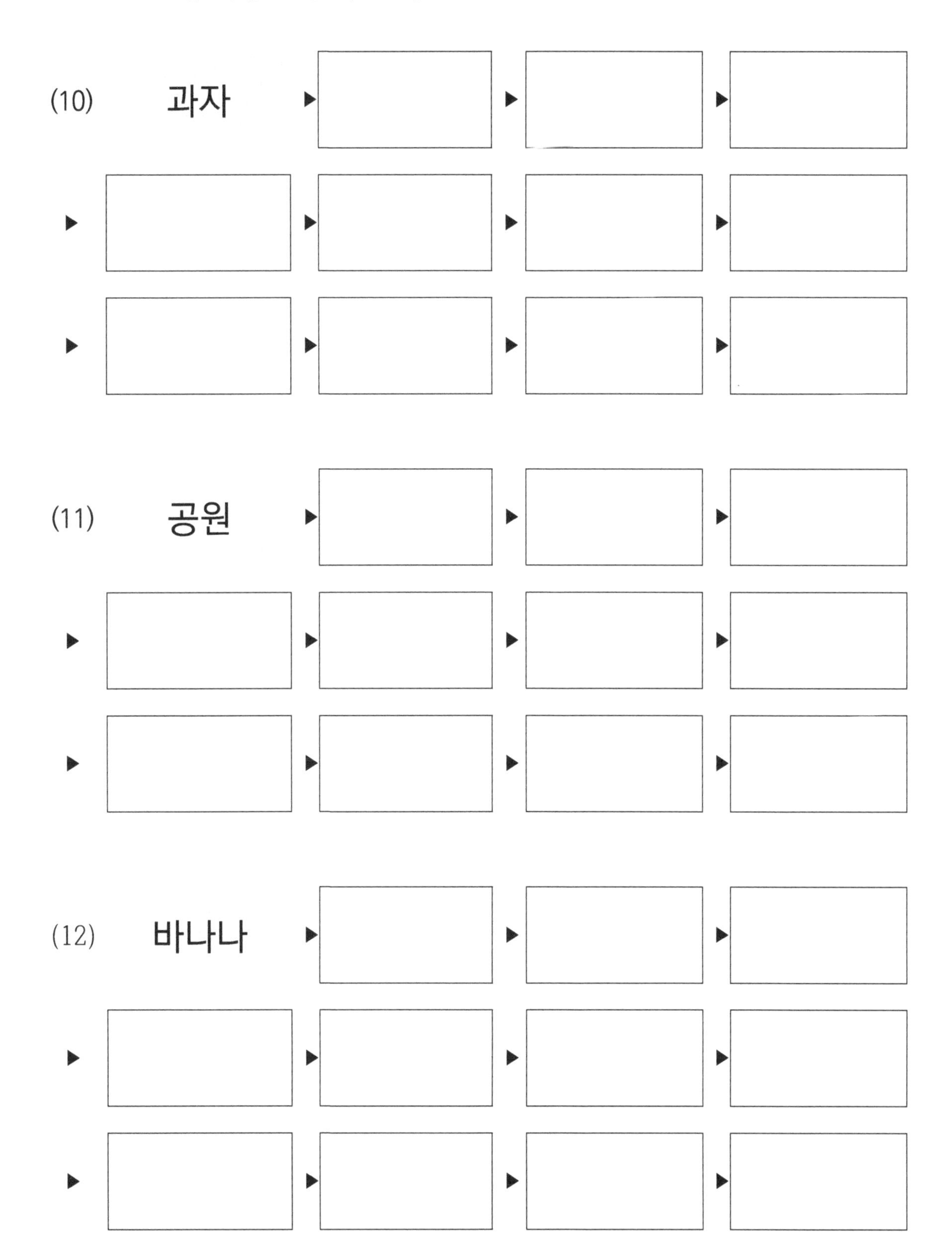

# 단어 표현

첫 단어를 보고 끝말잇기를 시작해봅시다.
10개 이상 연결해 보세요.

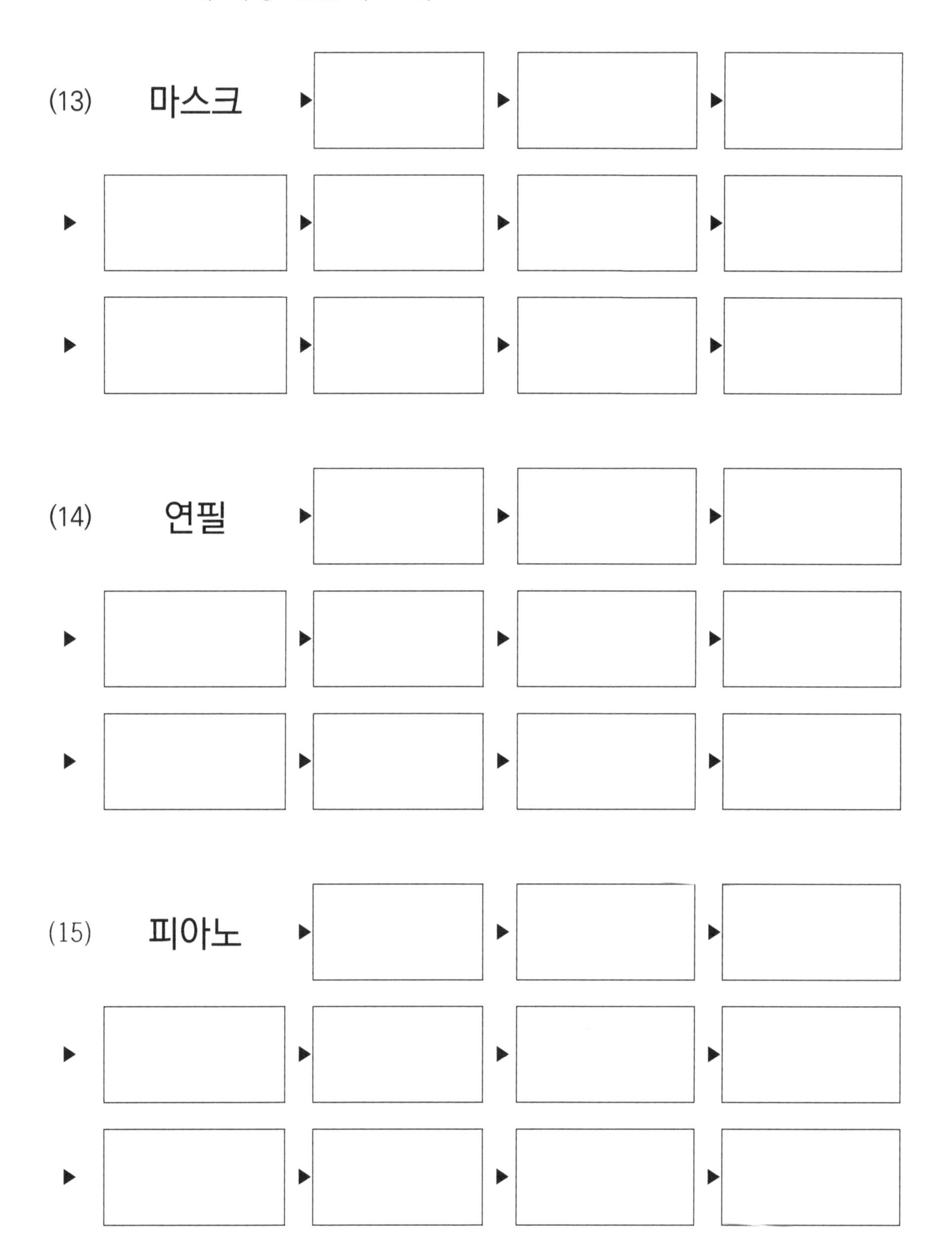

첫 단어를 보고 끝말잇기를 시작해봅시다.
10개 이상 연결해 보세요.

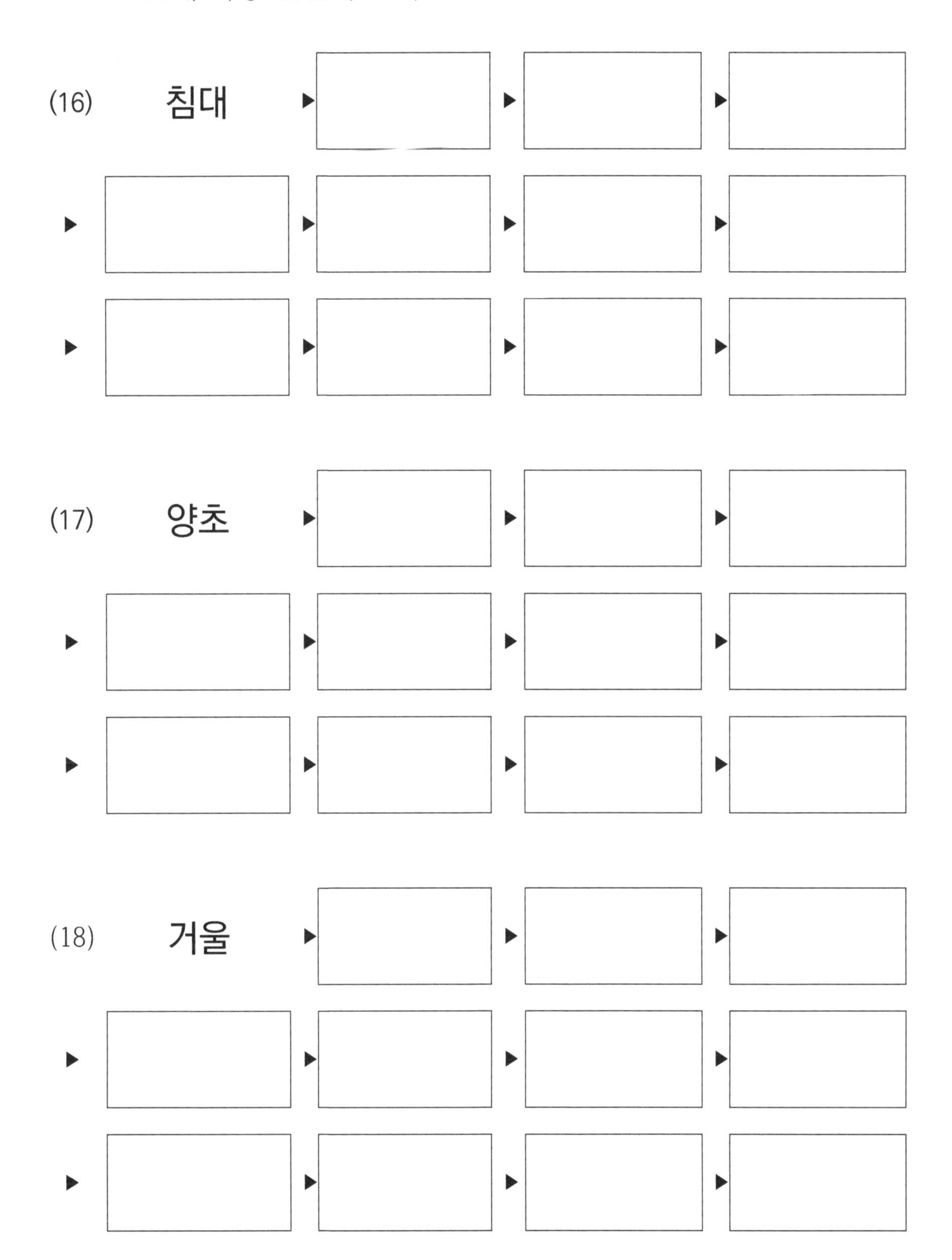

# 11. 반의어

단어를 듣고 반대말을 말씀하세요.

| | | | | | |
|---|---|---|---|---|---|
| 크다 | ↔ | (작다) | 약하다 | ↔ | |
| 편안하다 | ↔ | | 날씬하다 | ↔ | |
| 삼키다 | ↔ | | 짜다 | ↔ | |
| 멀다 | ↔ | | 무겁다 | ↔ | |
| 두껍다 | ↔ | | 아프다 | ↔ | |
| 무겁다 | ↔ | | 투명하다 | ↔ | |
| 길다 | ↔ | | 싸다 | ↔ | |
| 시원하다 | ↔ | | 많다 | ↔ | |
| 뜨겁다 | ↔ | | 울다 | ↔ | |
| 바쁘다 | ↔ | | 넓다 | ↔ | |

단어를 듣고 반대말을 말씀하세요.

| | | |
|---|---|---|
| 길다 | ↔ | |
| 건조하다 | ↔ | |
| 강하다 | ↔ | |
| 딱딱하다 | ↔ | |
| 자다 | ↔ | |
| 밝다 | ↔ | |
| 쓰다 | ↔ | |
| 더럽다 | ↔ | |
| 질문하다 | ↔ | |
| 밀다 | ↔ | |

| | | |
|---|---|---|
| 입다 | ↔ | |
| 얇다 | ↔ | |
| 켜다 | ↔ | |
| 뜨겁다 | ↔ | |
| 날씬하다 | ↔ | |
| 젊다 | ↔ | |
| 주다 | ↔ | |
| 싱겁다 | ↔ | |
| 살다 | ↔ | |
| 사다 | ↔ | |

# 단어 표현

단어를 듣고 반대말을 말씀하세요.

| | | | | | |
|---|---|---|---|---|---|
| 행복 | ↔ | | 결혼 | ↔ | |
| 가입 | ↔ | | 왼쪽 | ↔ | |
| 아이 | ↔ | | 안쪽 | ↔ | |
| 오전 | ↔ | | 남편 | ↔ | |
| 낮 | ↔ | | 할머니 | ↔ | |
| 유죄 | ↔ | | 남동생 | ↔ | |
| 여름 | ↔ | | 흰색 | ↔ | |
| 부자 | ↔ | | 여자 | ↔ | |
| 위 | ↔ | | 꼭대기 | ↔ | |
| 남자 | ↔ | | 투명 | ↔ | |

# 12. 글자 순서 맞추기

단어의 글자 순서가 뒤섞여 있습니다. 글자 순서를 잘 조합하여 단어를 완성해 주세요.

(1) 료 음 수 : (음료수)

(2) 끼 조 : ____________

(3) 어 오 징 : ____________

(4) 불 리 가 사 : ____________

(5) 강 한 : ____________

(6) 지 무 개 : ____________

(7) 가 등 로 : ____________

(8) 국 약 : ____________

(9) 크 마 스 : ____________

# 단어 표현

단어의 글자 순서가 뒤섞여 있습니다. 글자 순서를 잘 조합하여 단어를 완성해 주세요.

(10) 선 유 람 : ____________________

(11) 용 미 실 : ____________________

(12) 지 개 우 : ____________________

(13) 휴 통 지 : ____________________

(14) 이 원 공 놀 : ____________________

(15) 호 등 신 : ____________________

(16) 단 도 횡 보 : ____________________

(17) 운 장 동 : ____________________

(18) 돌 박 차 이 : ____________________

단어의 글자 순서가 뒤섞여 있습니다. 글자 순서를 잘 조합하여 단어를 완성해 주세요.

(10) 진 사 : ____________________

(11) 약 치 : ____________________

(12) 다 미 리 : ____________________

(13) 엉 부 이 : ____________________

(14) 계 탕 삼 : ____________________

(15) 컨 에 어 : ____________________

(16) 오 바 이 토 : ____________________

(17) 식 업 졸 : ____________________

(18) 동 라 미 그 : ____________________

# 단어 표현

단어의 글자 순서가 뒤섞여 있습니다. 글자 순서를 잘 조합하여 단어를 완성해 주세요.

(10) 팬 후 이 라 : ______________________

(11) 디 오 라 : ______________________

(12) 위 가 : ______________________

(13) 넘 줄 기 : ______________________

(14) 거 버 햄 : ______________________

(15) 치 도 슴 고 : ______________________

(16) 국 송 방 : ______________________

(17) 나 무 소 : ______________________

(18) 무 사 나 과 : ______________________

# 13. 그림 보고 이름대기



그림을 보고 이름을 말씀하세요

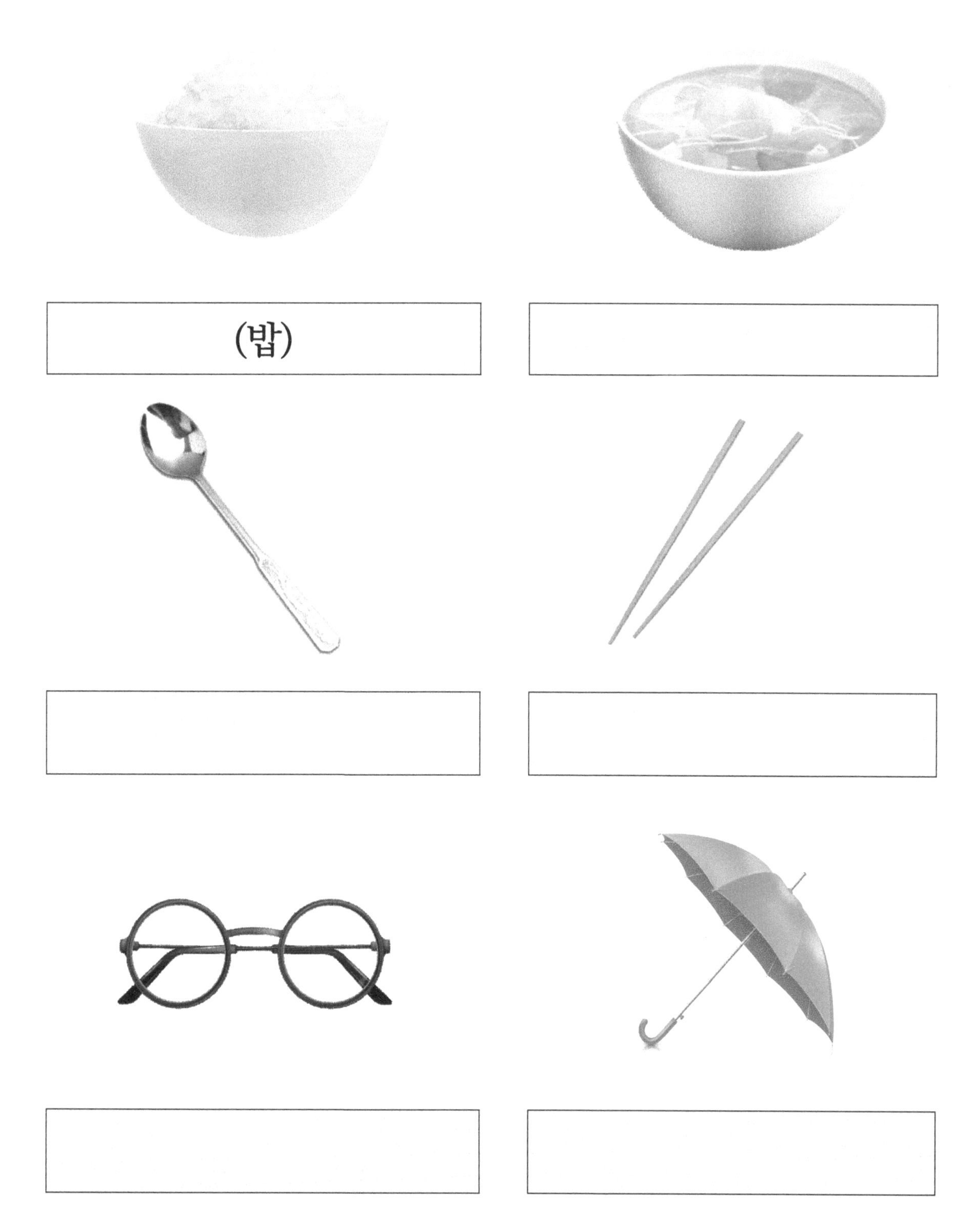

# 단어 표현

그림을 보고 이름을 말씀하세요

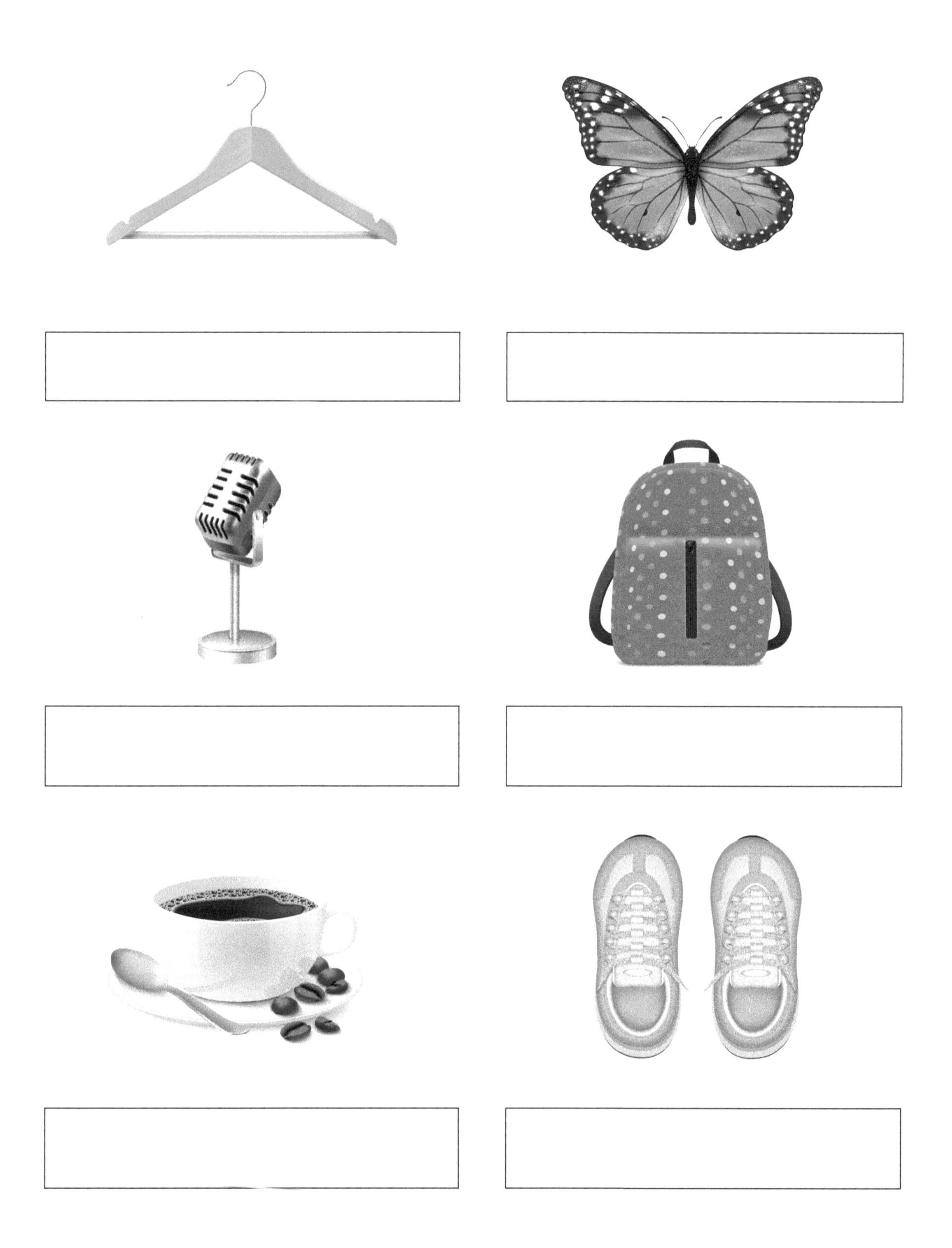

그림을 보고 이름을 말씀하세요

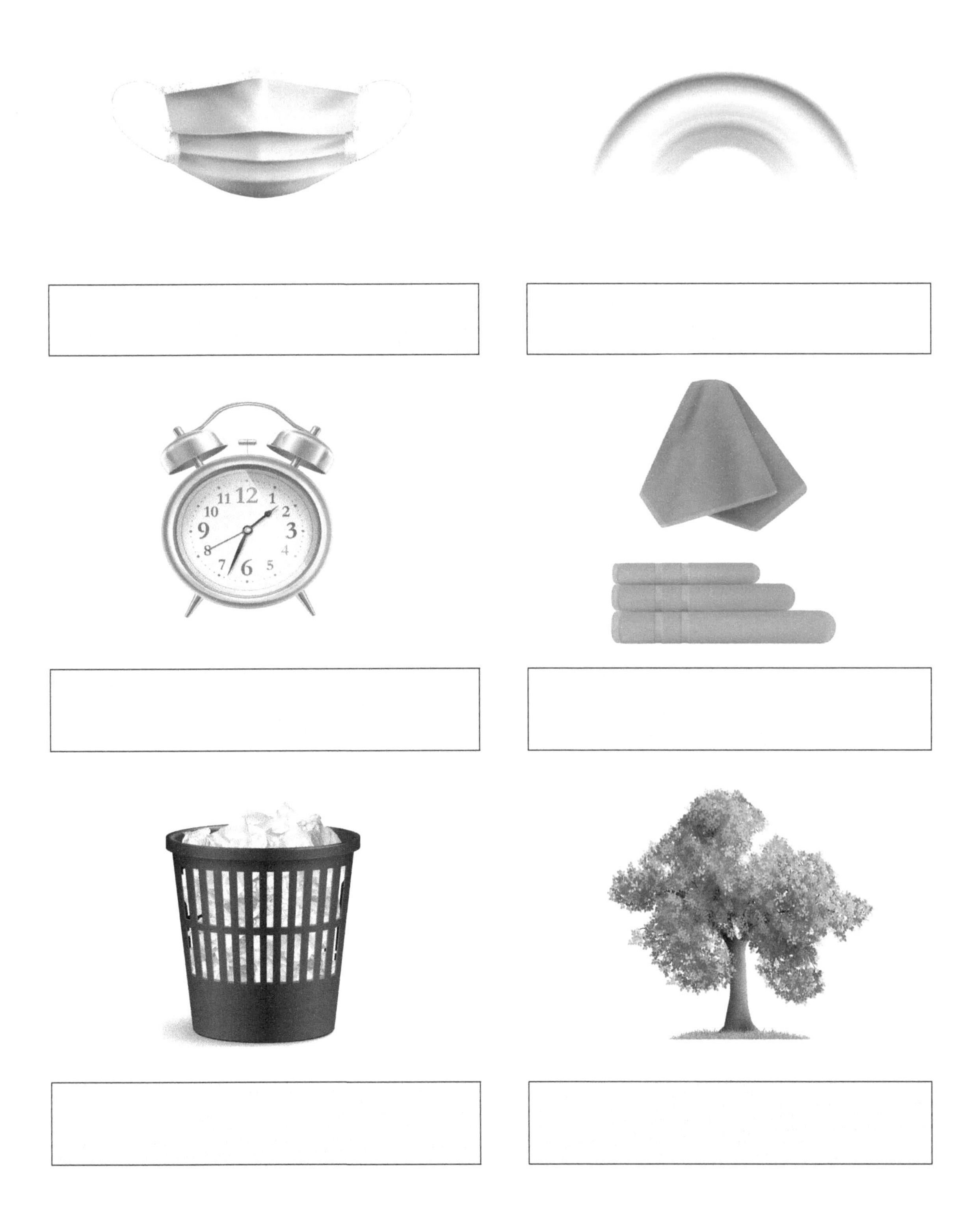

# 단어 표현

그림을 보고 이름을 말씀하세요

## 그림을 보고 이름을 말씀하세요

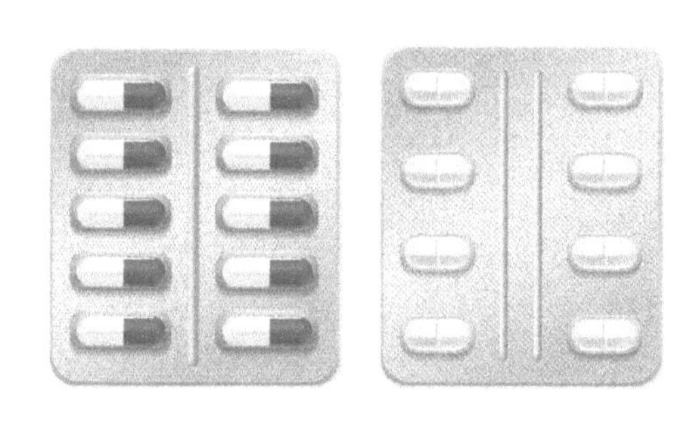

# 14. 설명 듣고 이름대기

설명을 잘 듣고 해당하는 단어를 말씀하세요.

(1) 물을 담아서 끓이는 주방용품은 무엇인가요? (주전자) ________

(2) 손을 씻을 때 사용하고 거품이 나는 것 ________

(3) 문을 잠그거나 여는데 사용하는 물건 ________

(4) 손을 보호하거나 추위를 막기 위해 손에 끼는 것 ________

(5) 물이나 음료를 따라 마시는 그릇 ________

(6) 빨래를 할 때 사용 하는 가전제품 ________

(7) 잘 때 덮는 것 ________

(8) 비 올 때 쓰는 것 ________

(9) 반찬을 집을 때 사용하는 식사 도구 ________

(10) 국을 떠먹을 때 사용하는 식사 도구 ________

설명을 잘 듣고 해당하는 단어를 말씀하세요.

(1) 냄비에서 국을 뜰 때 필요한 조리기구 ____________

(2) 얼굴의 상태를 확인 할 때 보는 것 ____________

(3) 통화를 할 때 사용하는 것 ____________

(4) 컴퓨터에서 종이를 인쇄할 때 사용하는 기기 ____________

(5) 건물 안에서 위아래로 이동할 때 버튼을 누르고 타는 것 ____________

(6) 물건을 넣어 들거나 메고 다닐 수 있게 만든 것 ____________

(7) 음식을 얼려서 보관하는 곳 ____________

(8) 글씨를 쓰고 지우개로 지울 수 있는 것 ____________

(9) 도마 위에 음식을 올려놓고 자를 때 사용하는 조리도구 ____________

(10) 시간을 보기 위해 손목에 차는 것 ____________

# 단어 표현

설명을 잘 듣고 해당하는 단어를 말씀하세요.

(1) 아플 때 가는 곳 ________

(2) 아플 때 낫기 위해 먹는 것 ________

(3) 텔레비전 채널 바꿀 때 사용하는 것 ________

(4) 잠 잘 때 머리와 목 뒤에 베는 것 ________

(5) 음식을 먹고 양치를 하기 위해 손에 쥐는 것 ________

(6) 누울 수 있고 잠을 자는 가구 ________

(7) 입술에 바르는 화장품 ________

(8) 종이를 자를 때 사용하고 날이 두 개인 것 ________

(9) 한 송이에 보라색 알맹이가 많이 달린 과일 ________

(10) 바나나를 좋아하고 엉덩이가 빨간색인 동물 ________

# 15. 힌트 보고 단어 맞추기



힌트를 종합해서 떠오르는 단어를 말씀하세요

(1) 밀가루, 버터, 딸기잼 (빵)

(2) 주사, 간호사, 의사 ________

(3) 학생, 교실, 선생님 ________

(4) 도시락, 김밥, 봄 ________

(5) 염색, 파마, 커트 ________

(6) 마이크, 탬버린, 조명 ________

(7) 줄다리기, 청백전, 이어달리기 ________

(8) 단풍, 가을, 산, 오르다 ________

(9) 생일, 미역, 소고기 ________

(10) 채소, 빨강, 초록, 매운맛, 청양 ________

# 단어 표현

힌트를 종합해서 떠오르는 단어를 말씀하세요

(11) 노란색, 알갱이, 수염, 여름 ____________

(12) 변기, 세면대, 샤워기, 화장지 ____________

(13) 사진, 조리개, 초점 ____________

(14) 비행기, 티켓, 여권, 수화물 ____________

(15) 연필, 지운다, 종이, 고무 ____________

(16) 머리카락, 바람, 헤어스타일 ____________

(17) 나물, 고추장, 비비다 ____________

(18) 컴퓨터, 누르다, 입력, 타자 ____________

(19) 화면, 채널, 리모컨, 거실 ____________

(20) 뉴스 기사, 광고, 종이 ____________

힌트를 종합해서 떠오르는 단어를 말씀하세요

(21) 젖소, 흰색, 음료, 칼슘 ____________

(22) 5월, 부모님, 선물, 카네이션 ____________

(23) 산타, 루돌프, 트리, 캐럴 ____________

(24) 시간, 시침, 분침, 초침 ____________

(25) 향기, 빨간색, 가시, 꽃 ____________

(26) 둥근 모양, 새콤달콤, 과일, 주황색 ____________

(27) 5월, 선물, 아이, 방정환 ____________

(28) 한라산, 귤, 돌하르방, 해녀 ____________

(29) 송편, 보름달, 강강술래 ____________

(30) 배추, 고춧가루, 겨울 ____________

# 단어 표현

힌트를 종합해서 떠오르는 단어를 말씀하세요

(31) 정상, 암벽, 등산, 설악, 백두 ______

(32) 모래사장, 파도, 갈매기, 해변 ______

(33) 눈사람, 스키, 연말, 하얀색 ______

(34) 과일, 노란색, 원숭이 ______

(35) 제목, 목차, 독후감, 독서 ______

(36) 검은색, 햇볕, 자외선, 안경 ______

(37) 세수, 물기 제거, 네모난 천, ______

(38) 옷, 다리, 가랑이, 나팔, 하의 ______

(39) 지하, 교통수단, 경로우대, 1호선 ______

(40) 해운대, 광안리, 자갈치 시장 ______

# 문장 이해

## 1. 문장 완성하기 (1)

문장을 잘 읽고 보기에서 적절한 단어를 고르세요.

(1) 신문을 ______________.

① 읽는다 ② 익힌다
③ 마신다 ④ 날아간다.

(2) 산에 ______________.

① 오른다 ② 울린다
③ 끓인다 ④ 켠다

(3) 라면을 ______________.

① 읽는다 ② 쑤시다
③ 끓인다 ④ 배부르다

(4) 그릇이 ______________.

① 깨졌다 ② 먹었다
③ 버린다 ④ 나쁘다

(5) 종이에 글씨를 ______________.

① 버리다 ② 쓰다
③ 마신다 ④ 꼬집는다

문장을 잘 읽고 보기에서 적절한 단어를 고르세요.

(6) 아기가 울면 ______________.

① 달다 ② 달랜다
③ 벗는다 ④ 뜨겁다

(7) 공원에서 강아지를 데리고 ______________.

① 산다 ② 설레이다
③ 산책한다 ④ 깨다

(8) 바람이 불면 옷깃을 ________________.

① 꼬맨다 ② 가린다
③ 내려놓는다 ④ 여민다

(9) 누군가 우리집 대문을 ________________.

① 두드렸다 ② 울었다
③ 들었다 ④ 꽂았다

(10) 우체국에 가서 소포를 _______________.

① 부쳤다 ② 지불하다
③ 빌었다 ④ 불렀다

# 문장 이해

문장을 잘 읽고 보기에서 적절한 단어를 고르세요.

(11) 주유소에서 자동차에 휘발유를 ________________.

① 넣었다　② 던졌다
③ 없애다　④ 뜨겁다

(12) 우리 집은 명절에 육전을 ________________.

① 산다　② 듣는다
③ 부친다　④ 깬다

(13) 시원한 콜라를 벌컥벌컥 ____________________.

① 밟는다　② 마신다
③ 놓는다　④ 덮는다

(14) 외출하려고 현관에서 신발을 ___________________.

① 눌렀다　② 먹었다
③ 들었다　④ 신었다

(15) 시력이 나쁘면 안경을 ________________.

① 달다　② 부친다
③ 쓴다　④ 지운다

문장을 잘 읽고 보기에서 적절한 단어를 고르세요.

(16) 국이 싱거워서 소금을 ______________.

① 뺐다 ② 내려놓았다
③ 넣었다 ④ 잘랐다

(17) 전화를 ______________.

① 받았다 ② 떨렸다
③ 덜었다 ④ 눈부시다

(18) 색연필로 그림을 ______________.

① 먹었다 ② 색칠하다
③ 깨물었다 ④ 떨어뜨리다

(19) 집에 오자마자 텔레비전을 ______________.

① 꽂았다 ② 틀었다
③ 착용했다 ④ 마셨다

(20) 창문이 더러워서 깨끗이 ______________.

① 닦았다 ② 꼈다
③ 빌었다 ④ 두드렸다

## 2. 문장 완성하기 (2)

문장을 잘 읽고 보기에서 적절한 단어를 고르세요.

(1) 배가 고프면 __________을 먹는다.

① 연필 ② 컵
③ 공책 ④ 밥

(2) __________은 목이 긴 동물이다.

① 토끼 ② 기린
③ 코끼리 ④ 참새

(3) ________는 스포츠이다.

① 골프 ② 시계
③ 컴퓨터 ④ 색연필

(4) 몸이 아프면 _________에 간다.

① 시장 ② 병원
③ 체력 ④ 공장

(5) 아는 것이 ______ 이다.

① 노래 ② 김
③ 반찬 ④ 힘

문장을 잘 읽고 보기에서 적절한 단어를 고르세요.

(6) 호랑이 굴에 들어가도 _______만 차리면 된다.

① 정신 ② 치마
③ 밧줄 ④ 밥상

(7) 머리를 자를 땐 _______가 필요하다.

① 치마 ② 고구마
③ 콜라 ④ 가위

(8) 비행기를 타러 ________에 가야한다.

① 지하철 ② 병원
③ 공항 ④ 여권

(9) 시계를 보면 _______을 알 수 있다.

① 초침 ② 수건
③ 시간 ④ 거실

(10) 샤워하고 물기를 닦으려면 ________이 필요하다.

① 숟가락 ② 수건
③ 호두 ④ 화장실

# 문장 이해

문장을 잘 읽고 보기에서 적절한 단어를 고르세요.

(11) 물건을 살 땐 ＿＿＿＿＿＿을 내야한다.

① 도둑 ② 상점
③ 돈 ④ 두드러기

(12) 가수는 ＿＿＿＿＿＿위에서 노래를 부른다.

① 치마 ② 무대
③ 콜라 ④ 가위

(13) 철수가 좋아하는 ＿＿＿＿＿＿은 수학이다.

① 과목 ② 학교
③ 공항 ④ 과학

(14) 텔레비전을 켜려면 ＿＿＿＿＿＿이 필요하다.

① 라디오 ② 수건
③ 눈물 ④ 리모컨

(15) 시력이 나쁘면 ＿＿＿＿＿＿을 쓴다.

① 보청기 ② 목발
③ 안경 ④ 선글라스

문장을 잘 읽고 보기에서 적절한 단어를 고르세요.

(16) 비가 오면 ________을 쓴다.

① 우산 ② 치마
③ 밧줄 ④ 컴퓨터

(17) 해외에 갈 땐 ________을 챙겨야 한다.

① 비행기 ② 여권
③ 나무 ④ 가위

(18) 수영을 하기 전에 ________를 해야한다.

① 중간고사 ② 병원
③ 서랍 ④ 준비운동

(19) 반찬을 집을 땐 ________를 사용한다.

① 젓가락 ② 젖소
③ 우유 ④ 국자

(20) 여름에 더우면 ________을 켠다.

① 에어컨 ② 부채
③ 온풍기 ④ 머리끈

## 3. 예-아니오 대답하기

문장을 잘 듣고 '예' 또는 '아니오'로 대답하세요.

(1) 아침 식사는 하셨나요? ________

(2) 아침마다 약을 드시나요? ________

(3) 지금 양말을 신고 있나요? ________

(4) 반팔 티셔츠를 입고 있나요? ________

(5) 지금은 깜깜한 밤인가요? ________

(6) 고양이는 동물인가요? ________

(7) 닭이 음메하고 우나요? ________

(8) 책은 유리로 만들어져있나요? ________

(9) 포크로 국을 떠먹을 수 있나요? ________

(10) 고래는 바다에서 사나요? ________

문장을 잘 듣고 '예' 또는 '아니오'로 대답하세요.

(11) 여름은 춥나요? ________

(12) 제주도는 섬인가요? ________

(13) 자동차에는 날개가 있나요? ________

(14) 나무에는 뿌리가 있나요? ________

(15) 하늘은 보통 초록색인가요? ________

(16) 물고기는 모래사막에서 사나요? ________

(17) 코끼리는 작은 동물인가요? ________

(18) 지구는 네모 모양인가요? ________

(19) 눈으로 소리를 듣나요? ________

(20) 바나나는 노란색인가요? ________

## 문장 이해

문장을 잘 듣고 '예' 또는 '아니오'로 대답하세요.

(21) 꽃이 피려면 햇빛이 필요한가요? ______

(22) 지구는 태양보다 큰가요? ______

(23) 귀로 소리를 듣나요? ______

(24) 새는 깃털이 있나요? ______

(25) 코끼리는 목이 긴가요? ______

(26) 귤은 과일인가요? ______

(27) 거미는 다리가 8개인가요? ______

(28) 바닷물은 달콤한가요? ______

(29) 나무에는 나뭇잎이 자라나요? ______

(30) 아이스크림은 숟가락으로 먹나요? ______

## 4. 1단계 지시수행

문장을 잘 듣고 그대로 행동하세요.

(1) 어깨를 돌려보세요.

(2) 볼을 잡아보세요.

(3) 귀를 잡으세요.

(4) 무릎을 쳐보세요.

(5) 왼손을 들어보세요.

(6) 손을 뻗으세요.

(7) 손을 오므리세요.

(8) 새끼손가락을 피세요.

(9) 고개를 뒤로 젖히세요.

## 문장 이해

문장을 잘 듣고 그대로 행동하세요.

(10) 왼쪽 어깨에 손을 대세요.

(11) 눈을 감으세요.

(12) 입을 벌리세요.

(13) 코를 만지세요.

(14) 손뼉을 치세요.

(15) 어깨를 만지세요.

(16) 손을 흔드세요.

(17) 미소지어 보세요.

(18) 머리를 만지세요.

문장을 잘 듣고 그대로 행동하세요.

(19) 귀를 만지세요.

(20) 오른손을 들어보세요.

(21) 팔꿈치를 만지세요.

(22) 고개를 숙여보세요.

(23) 오른손을 들어보세요.

(24) 오른발을 들어보세요.

(25) 귀를 만져보세요.

(26) 왼손으로 오른쪽 귀를 만지세요.

(27) 두 번째 손가락으로 볼을 찔러주세요.

# 문장 이해

문장을 잘 듣고 그대로 행동하세요.

(28) 혀를 내밀어보세요.

(29) 노크해 보세요.

(30) 헛기침을 해 보세요.

(31) 주먹을 쥐어 보세요.

(32) 입술을 모아 보세요.

(33) 눈을 감으세요.

(34) 입을 벌리세요.

(35) 코를 만지세요.

(36) 손뼉을 치세요.

문장을 잘 듣고 그대로 행동하세요.

(37) 어깨를 만지세요.

(38) 손을 흔드세요.

(39) 미소지어 보세요.

(40) 윙크해보세요.

(41) 눈을 세 번 깜박이세요.

(42) 귀를 만지세요.

(43) 무릎을 한번 치세요.

(44) 발을 쳐다보세요.

(45) 양손을 마주 잡아보세요.

## 5. 그림 설명 찾기

 그림을 올바르게 설명하는 문장을 고르세요.

① 우산을 들고 간다.

② 전화기를 들고 있다.

① 남자가 의자에 앉아있다.

② 남자가 일어서있다.

그림을 올바르게 설명하는 문장을 고르세요.

① 남자가 의자에 앉아있다.

② 남자가 통화하고 있다.

① 남자가 오토바이를 타고 있다.

② 남자가 택시를 타고 있다.

# 문장 이해

그림을 올바르게 설명하는 문장을 고르세요.

① 여자가 안경을 쓰고 있다.

② 여자가 반바지를 입었다.

① 라디오를 듣고 있다.

② 텔레비전을 보고 있다.

그림을 올바르게 설명하는 문장을 고르세요.

① 벽이 기대어 서 있다.

② 남자에게 기대어 서 있다.

① 너무 슬퍼서 울고 있다.

② 배꼽을 잡고 웃는다.

# 문장 이해

그림을 올바르게 설명하는 문장을 고르세요.

① 파란색 바지를 입고 있다.

② 파란색 스쿠터를 타고 있다.

① 선글라스를 끼고 있다.

② 헬멧을 쓰고 있다.

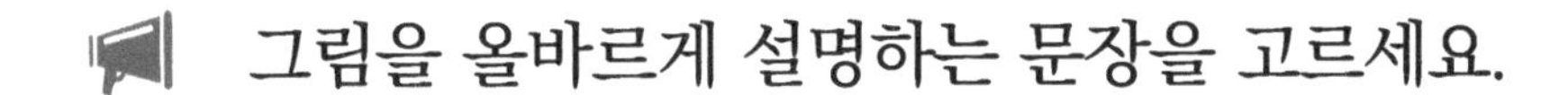

① 가방을 메고 자전거를 탄다.

② 헬멧을 쓰고 자전거를 탄다.

① 팔짱을 끼고 서 있다.

② 팔짱을 끼고 앉아있다.

# 문장 이해

그림을 올바르게 설명하는 문장을 고르세요.

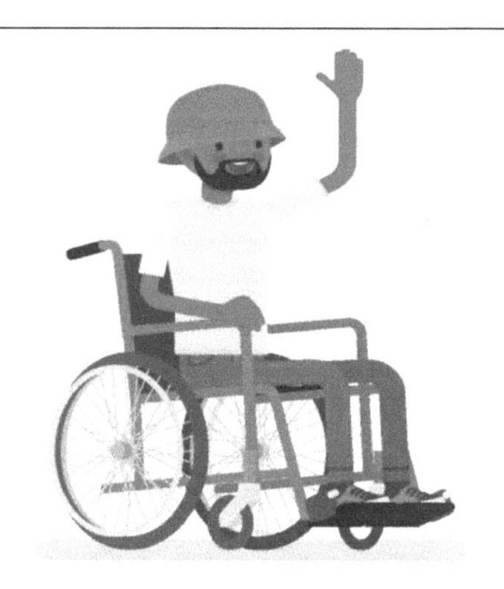

① 목발을 짚고 있다.

② 휠체어에 타고 있다.

① 자동차에 타고 있다.

② 케이블카에 타고 있다.

 그림을 올바르게 설명하는 문장을 고르세요.

① 아빠가 자전거를 타고 있다.

② 아빠가 자전거를 가르쳐주고 있다.

① 곰돌이를 태우고 간다.

② 곰돌이가 운전한다.

# 문장 이해

그림을 올바르게 설명하는 문장을 고르세요.

① 남자아이는 빨간 자전거를 탄다.

② 여자아이는 파란 원피스를 입었다.

① 아이는 세발자전거를 탄다.

② 아이는 페달을 밟고 있다.

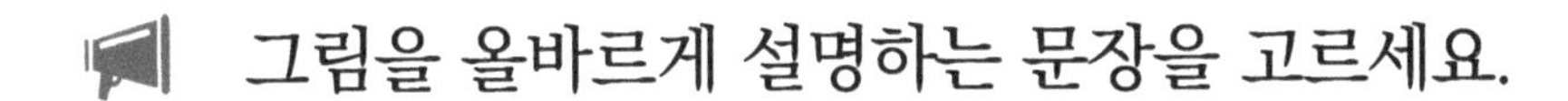

그림을 올바르게 설명하는 문장을 고르세요.

① 헬멧을 쓰고 오토바이를 탄다.

② 우산을 쓰고 오토바이를 탄다.

① 폴짝폴짝 뛰고 있다.

② 가만히 서 있다.

# 문장 이해

그림을 올바르게 설명하는 문장을 고르세요.

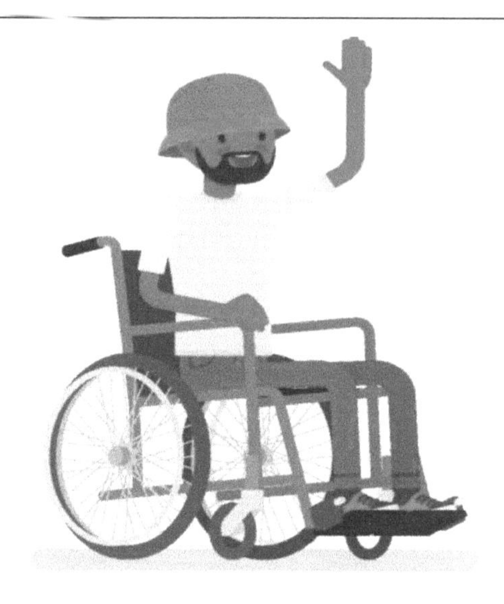

① 모자를 쓰고 손을 흔들고 있다.

② 모자를 쓰고 춤을 추고 있다.

① 책상 위에 커피가 있다,

② 책상 아래에 커피가 있다.

그림을 올바르게 설명하는 문장을 고르세요.

① 노란색 트럭에 타고 있다.

② 노란색 차를 운전한다.

① 노트북을 무릎 위에 올려놓았다.

② 노트북을 바닥에 내려놓았다.

## 6. 질문 듣고 대답하기

질문을 잘 듣고 대답해주세요.

(1) 월요일 다음은 무슨 요일인가요? (화요일)

(2) 수영은 어디서 하나요? ____________

(3) 토마토는 무슨 색인가요? ____________

(4) 일 년은 몇 개월입니까? ____________

(5) 용변을 보러 가는 곳은? ____________

(6) 설날에 먹는 대표적인 음식은? ____________

(7) 음식을 먹을 때 어디로 섭취하나요? ____________

(8) 어린이날은 몇 월이에요? ____________

(9) 세수와 샤워를 하는 곳은? ____________

질문을 잘 듣고 대답해주세요.

(10) 하루는 몇 시간인가요? ____________

(11) 우리나라 수도는 어디인가요? ____________

(12) 수요일 다음날은 무슨 요일인가요? ____________

(13) 물건을 살 때 가는 곳은? ____________

(14) 머리를 자르러 가는 곳은? ____________

(15) 돈을 넣어서 가지고 다닐 때 쓰는 물건은? ____________

(16) 지금 시간이 몇 시입니까? ____________

(17) 오늘은 무슨 요일입니까? ____________

(18) 크리스마스는 몇 월인가요? ____________

# 문장 이해

질문을 잘 듣고 대답해주세요.

(19) 영화 보러 가는 곳은? ____________

(20) 식사하러 가는 곳은? ____________

(21) 시간이 궁금할 때 보는 물건은? ____________

(22) 얼굴을 비춰볼 때 쓰는 물건은? ____________

(23) 생일날 먹는 국은? ____________

(24) 비 오는 날 신는 신발은? ____________

(25) 부처님 오신 날은 몇 월인가요? ____________

(26) 학교 갈 때 어깨에 메는 것은? ____________

(27) 시력이 나쁠 때 눈에 쓰는 것은? ____________

질문을 잘 듣고 대답해주세요.

(28) 약을 사러 갈 때 가는 곳은? __________

(29) 눈이 잘 보이기 위해 쓰는 것은? __________

(30) 운동하러 가는 곳은? __________

(31) 사진을 찍을 때 사용하는 기계는? __________

(32) 세차하러 가는 곳은? __________

(33) 수영하는 곳은? __________

(34) 목마를 때 마시는 것은 무엇인가요? __________

(35) 글씨를 쓸 때 사용하는 것은? __________

(36) 일하러 출근하는 곳은 어디입니까? __________

# 7. 한 단어 대답하기

짧은 문장을 들려드릴게요. 잘 기억했다가 질문에 대답해보세요. 문장 전체를 다시 말하는 것이 아니라 묻는 말에 해당하는 내용만 한 단어로 대답하세요.

(1) 고양이가 생선을 잡았습니다.

Q. 누가 생선을 잡았나요? (고양이)

(2) 아기가 까르르 웃었습니다.

Q. 누가 웃었나요? ______

(3) 나는 토요일에 콘서트에 갔습니다.

Q. 언제 콘서트에 갔나요? ______

(4) 나는 어제 수육을 먹었습니다.

Q. 무엇을 먹었나요? ______

(5) 중국집에서 깐풍기를 먹었습니다.

Q. 무엇을 먹었나요? ______

짧은 문장을 들려드릴게요. 잘 기억했다가 질문에 대답해보세요. 문장 전체를 다시 말하는 것이 아니라 묻는 말에 해당하는 내용만 한 단어로 대답하세요.

(6) 과일을 냉장고에 넣었습니다.

Q. 어디에 넣었나요?

________________

(7) 한강에서 물고기를 보았습니다.

Q. 어디서 보았나요?

________________

(8) 돈을 저금통에 넣었습니다.

Q. 돈을 어디에 넣었나요.

________________

(9) 할머니께서 나에게 사과를 사주셨습니다.

Q. 무엇을 사주셨나요?

________________

(10) 외숙모가 조카에게 음료수를 주셨습니다.

Q. 누구에게 음료수를 주셨나요?

________________

# 문장 이해

짧은 문장을 들려드릴게요. 잘 기억했다가 질문에 대답해보세요. 문장 전체를 다시 말하는 것이 아니라 묻는 말에 해당하는 내용만 한 단어로 대답하세요.

(11) 엄마가 나를 불렀습니다.

Q. 누구를 불렀나요?

________________

(12) 나는 내일 미국에 갑니다.

Q. 언제 가나요?

________________

(13) 엄마가 맛있는 미역국을 끓여주셨다.

Q. 무엇을 끓여주셨나요?

________________

(14) 친구가 멋진 등산복을 사주었다.

Q. 누가 사줬나요?

________________

(15) 내일은 한의원에 가야합니다.

Q. 어디에 가나요?

________________

짧은 문장을 들려드릴게요. 잘 기억했다가 질문에 대답해보세요. 문장 전체를 다시 말하는 것이 아니라 묻는 말에 해당하는 내용만 한 단어로 대답하세요.

(16) 건전지를 사러 마트에 갔습니다.

Q. 무엇을 사러 갔나요? ____________

(17) 동생이 컴퓨터 게임을 하고 있습니다.

Q. 누가 컴퓨터 게임을 하나요? ____________

(18) 누나가 화장을 합니다.

Q. 누가 화장을 하나요? ____________

(19) 노래방에 친구가 있습니다.

Q. 친구는 어디에 있나요? ____________

(20) 고래가 수족관에서 헤엄을 칩니다.

Q. 어디에서 헤엄을 쳤나요? ____________

# 구·문장 표현

❖ 두 단어 대답하기

❖ 세 단어 대답하기

❖ 따라 말하기

❖ 따라 쓰기

# 구 표현

## 1. 두 단어 대답하기

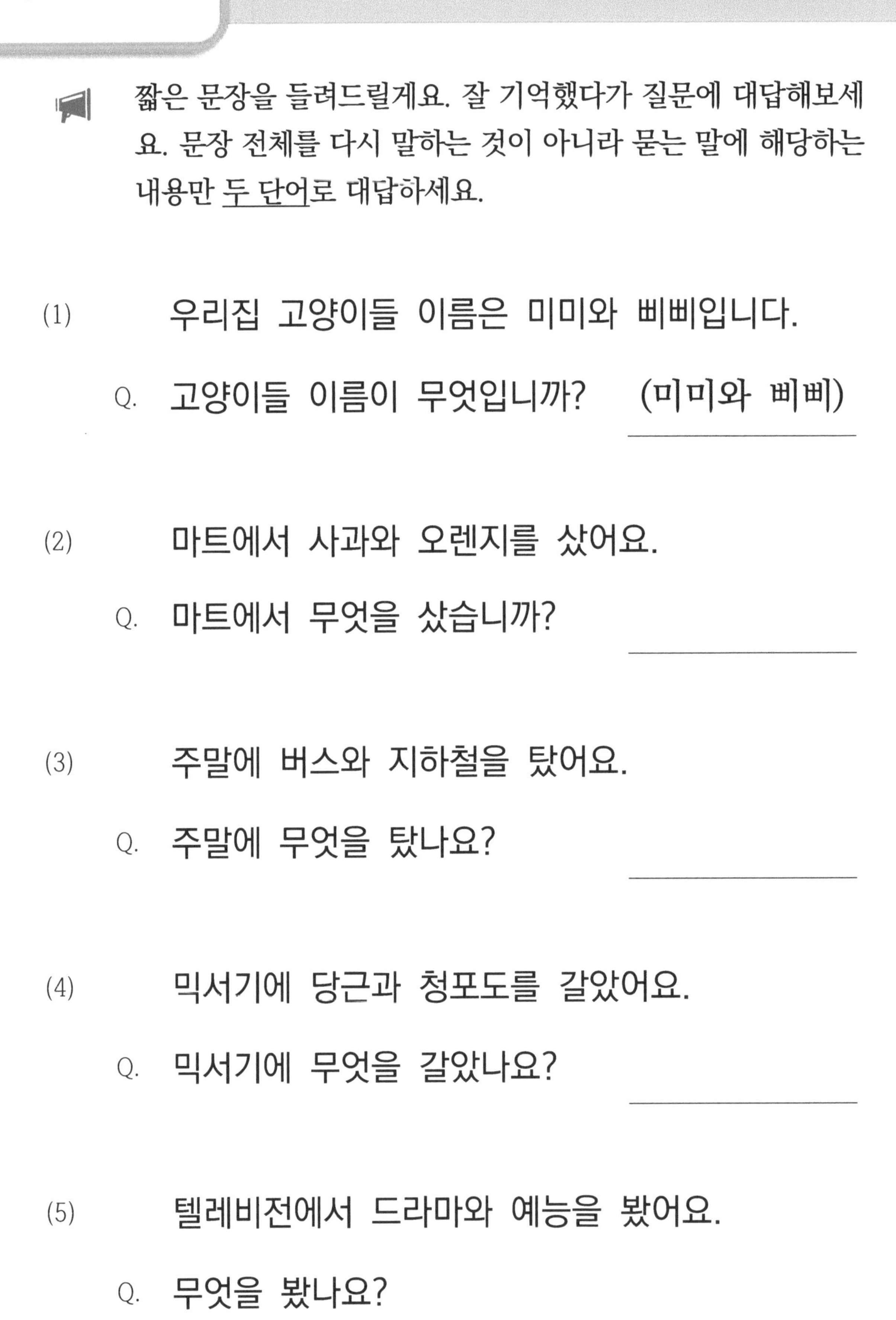

짧은 문장을 들려드릴게요. 잘 기억했다가 질문에 대답해보세요. 문장 전체를 다시 말하는 것이 아니라 묻는 말에 해당하는 내용만 두 단어로 대답하세요.

(1) 우리집 고양이들 이름은 미미와 삐삐입니다.

Q. 고양이들 이름이 무엇입니까? (미미와 삐삐)

(2) 마트에서 사과와 오렌지를 샀어요.

Q. 마트에서 무엇을 샀습니까? ____________

(3) 주말에 버스와 지하철을 탔어요.

Q. 주말에 무엇을 탔나요? ____________

(4) 믹서기에 당근과 청포도를 갈았어요.

Q. 믹서기에 무엇을 갈았나요? ____________

(5) 텔레비전에서 드라마와 예능을 봤어요.

Q. 무엇을 봤나요? ____________

짧은 문장을 들려드릴게요. 잘 기억했다가 질문에 대답해보세요. 문장 전체를 다시 말하는 것이 아니라 묻는 말에 해당하는 내용만 두 단어로 대답하세요.

(6) 나는 아침으로 감자와 김치를 먹었습니다.

Q. 아침에 무엇을 먹었습니까? ____________

(7) 놀이공원에 가면 솜사탕과 놀이기구가 있어요.

Q. 놀이공원에는 무엇이 있나요? ____________

(8) 나는 자기 전에 세수와 양치를 해요.

Q. 자기 전에 무엇을 하나요? ____________

(9) 친구 집에는 강아지와 고양이가 있습니다.

Q. 친구 집에는 무엇이 있나요? ____________

(10) 어젯밤에 일기와 독후감을 썼습니다.

Q. 어젯밤에 무엇을 썼나요? ____________

# 구 표현

짧은 문장을 들려드릴게요. 잘 기억했다가 질문에 대답해보세요. 문장 전체를 다시 말하는 것이 아니라 묻는 말에 해당하는 내용만 두 단어로 대답하세요.

(11) 우리 오빠들 이름은 김철수와 김영철입니다.

Q. 오빠들 이름이 무엇입니까?

________________

(12) 저 편의점에서는 과자와 음료수를 팔아요.

Q. 무엇을 팝니까?

________________

(13) 어젯밤에 소설책과 신문을 읽었어요.

Q. 어젯밤에 무엇을 읽었나요?

________________

(14) 손주가 단팥빵과 우유를 사주었습니다.

Q. 손주가 무엇을 사주었나요?

________________

(15) 일본에 가서 라면과 만두를 먹었다.

Q. 무엇을 먹었나요?

________________

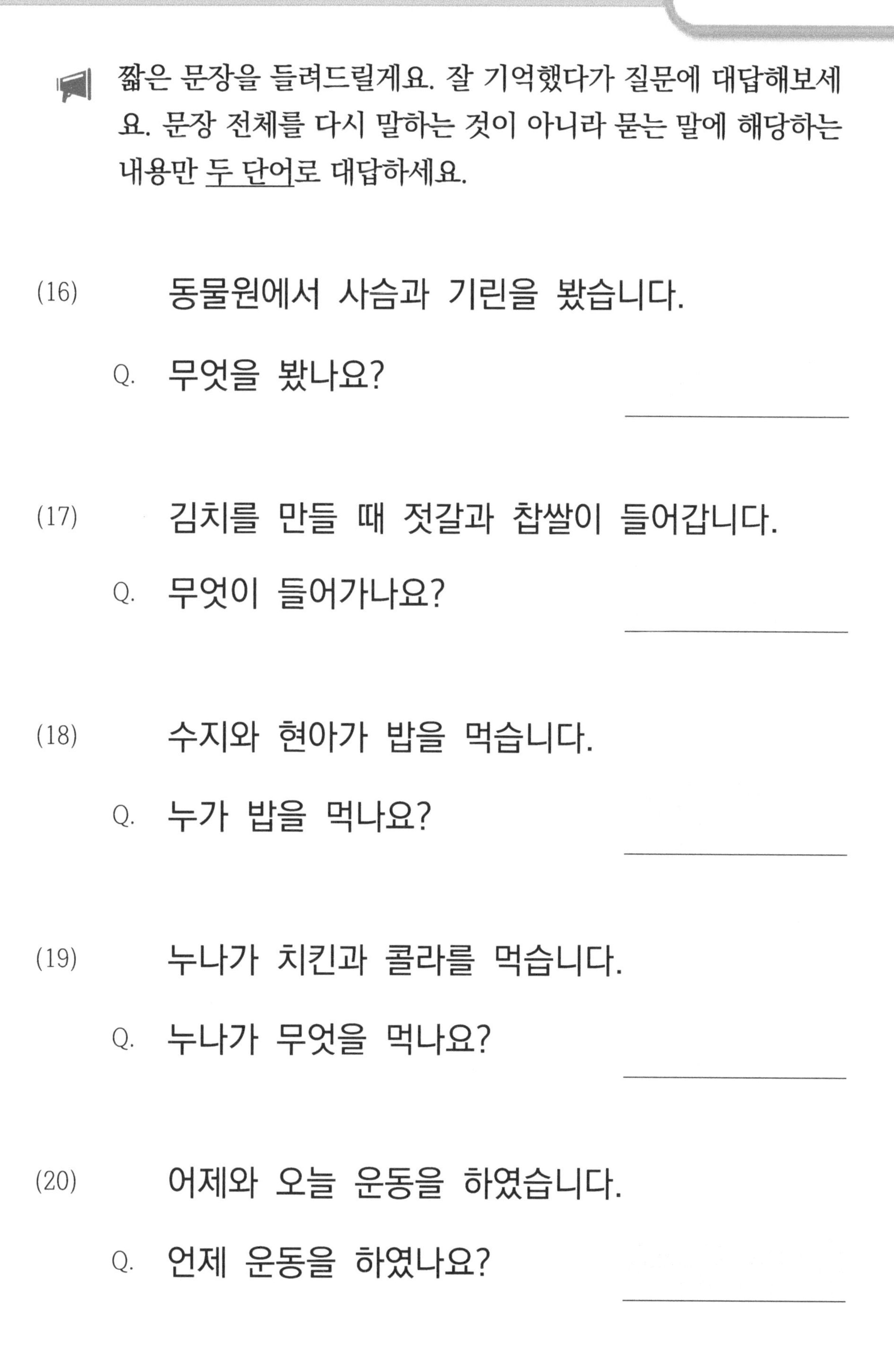

짧은 문장을 들려드릴게요. 잘 기억했다가 질문에 대답해보세요. 문장 전체를 다시 말하는 것이 아니라 묻는 말에 해당하는 내용만 두 단어로 대답하세요.

(16) 동물원에서 사슴과 기린을 봤습니다.

Q. 무엇을 봤나요? ______________

(17) 김치를 만들 때 젓갈과 찹쌀이 들어갑니다.

Q. 무엇이 들어가나요? ______________

(18) 수지와 현아가 밥을 먹습니다.

Q. 누가 밥을 먹나요? ______________

(19) 누나가 치킨과 콜라를 먹습니다.

Q. 누나가 무엇을 먹나요? ______________

(20) 어제와 오늘 운동을 하였습니다.

Q. 언제 운동을 하였나요? ______________

# 구 표현

짧은 문장을 들려드릴게요. 잘 기억했다가 질문에 대답해보세요. 문장 전체를 다시 말하는 것이 아니라 묻는 말에 해당하는 내용만 두 단어로 대답하세요.

(21) 우리 집에는 텔레비전과 책상이 있습니다.

Q. 집에 무엇이 있나요? ______________

(22) 오빠가 줄넘기와 달리기를 합니다.

Q. 오빠가 무엇을 하나요? ______________

(23) 어제 엄마랑 마트와 영화관을 다녀왔어요.

Q. 어디를 다녀왔나요? ______________

(24) 어제 아들이랑 남편이랑 마트에 다녀왔어요.

Q. 누구랑 마트에 다녀왔나요? ______________

(25) 종이에 색연필과 크레파스로 그림을 그렸어요.

Q. 무엇으로 그림을 그렸나요? ______________

## 2. 세 단어 대답하기

구 표현

짧은 문장을 들려드릴게요. 잘 기억했다가 질문에 대답해보세요. 문장 전체를 다시 말하는 것이 아니라 묻는 말에 해당하는 내용만 세 단어로 대답하세요.

(1) 시장에서 꽈배기, 떡갈비, 딸기를 샀어요.

Q. 시장에서 무엇을 샀나요? ________________

(2) 학교에서 국어, 영어, 수학 시험을 봤어요.

Q. 시험 본 과목은 무엇인가요? ________________

(3) 놀이공원에서 범퍼카, 회전목마, 바이킹을 탔어요.

Q. 무엇을 탔나요? ________________

(4) 저녁에 미역국, 계란말이, 불고기를 먹었어요.

Q. 저녁에 무엇을 먹었나요? ________________

(5) 내 방에는 침대, 책상, 책장이 있습니다.

Q. 내 방에는 무엇이 있나요? ________________

# 구 표현

짧은 문장을 들려드릴게요. 잘 기억했다가 질문에 대답해보세요. 문장 전체를 다시 말하는 것이 아니라 묻는 말에 해당하는 내용만 세 단어로 대답하세요.

(6) 시장에 가면 생선, 과일, 고기가 있습니다.

Q. 시장에 가면 무엇이 있나요? ______________

(7) 시골에 가면 외양간, 경운기, 허수아비가 있습니다.

Q. 시골에 가면 무엇이 있나요? ______________

(8) 카페에서 커피, 빵, 쿠키를 샀습니다.

Q. 카페에서 무엇을 샀나요? ______________

(9) 영화관에서 팝콘, 콜라, 오징어를 먹었습니다.

Q. 무엇을 먹었나요? ______________

(10) 편의점에서는 과자, 음료수, 비상약을 팔아요.

Q. 무엇을 파나요? ______________

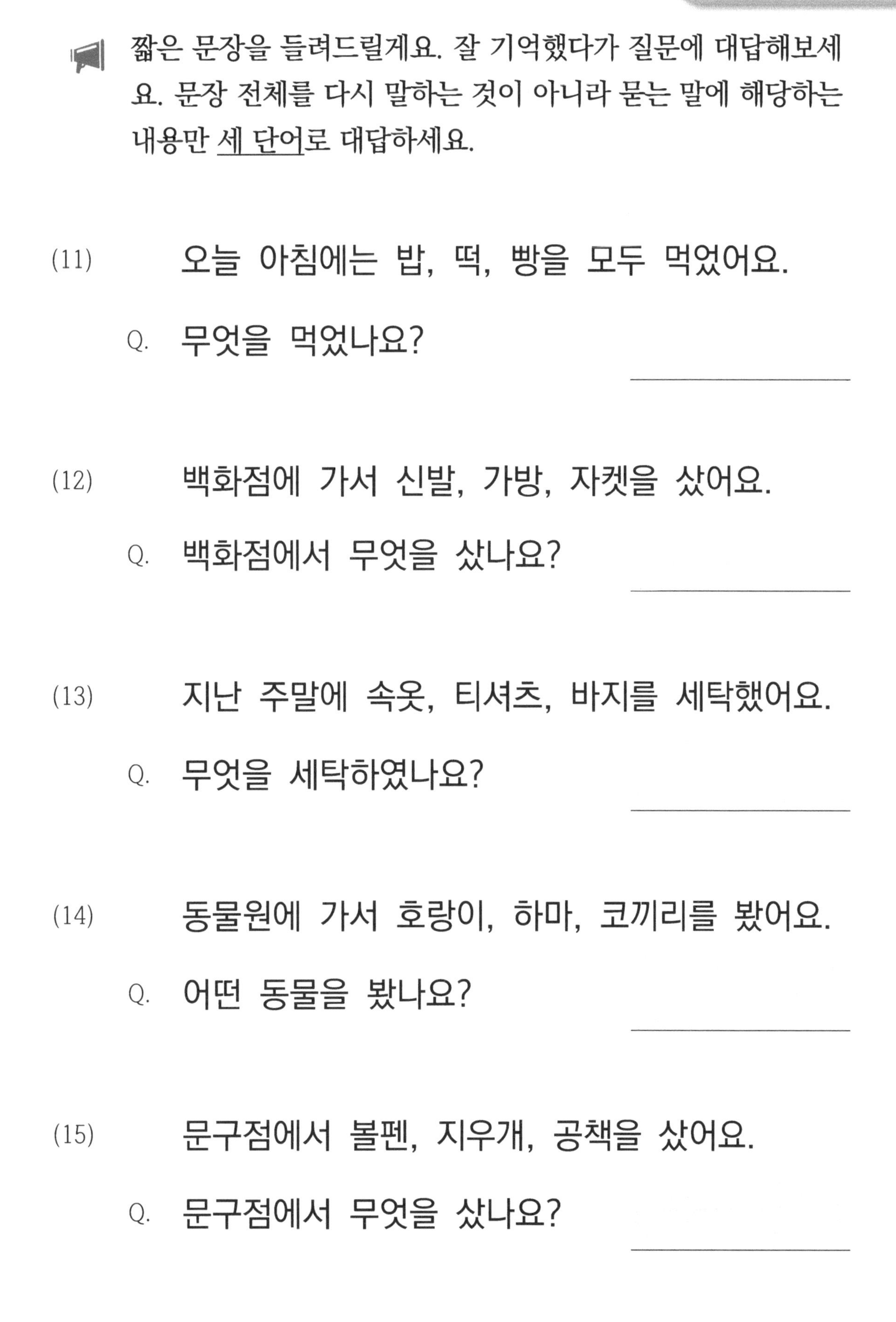

짧은 문장을 들려드릴게요. 잘 기억했다가 질문에 대답해보세요. 문장 전체를 다시 말하는 것이 아니라 묻는 말에 해당하는 내용만 세 단어로 대답하세요.

(11) 오늘 아침에는 밥, 떡, 빵을 모두 먹었어요.

Q. 무엇을 먹었나요? ____________

(12) 백화점에 가서 신발, 가방, 자켓을 샀어요.

Q. 백화점에서 무엇을 샀나요? ____________

(13) 지난 주말에 속옷, 티셔츠, 바지를 세탁했어요.

Q. 무엇을 세탁하였나요? ____________

(14) 동물원에 가서 호랑이, 하마, 코끼리를 봤어요.

Q. 어떤 동물을 봤나요? ____________

(15) 문구점에서 볼펜, 지우개, 공책을 샀어요.

Q. 문구점에서 무엇을 샀나요? ____________

# 구 표현

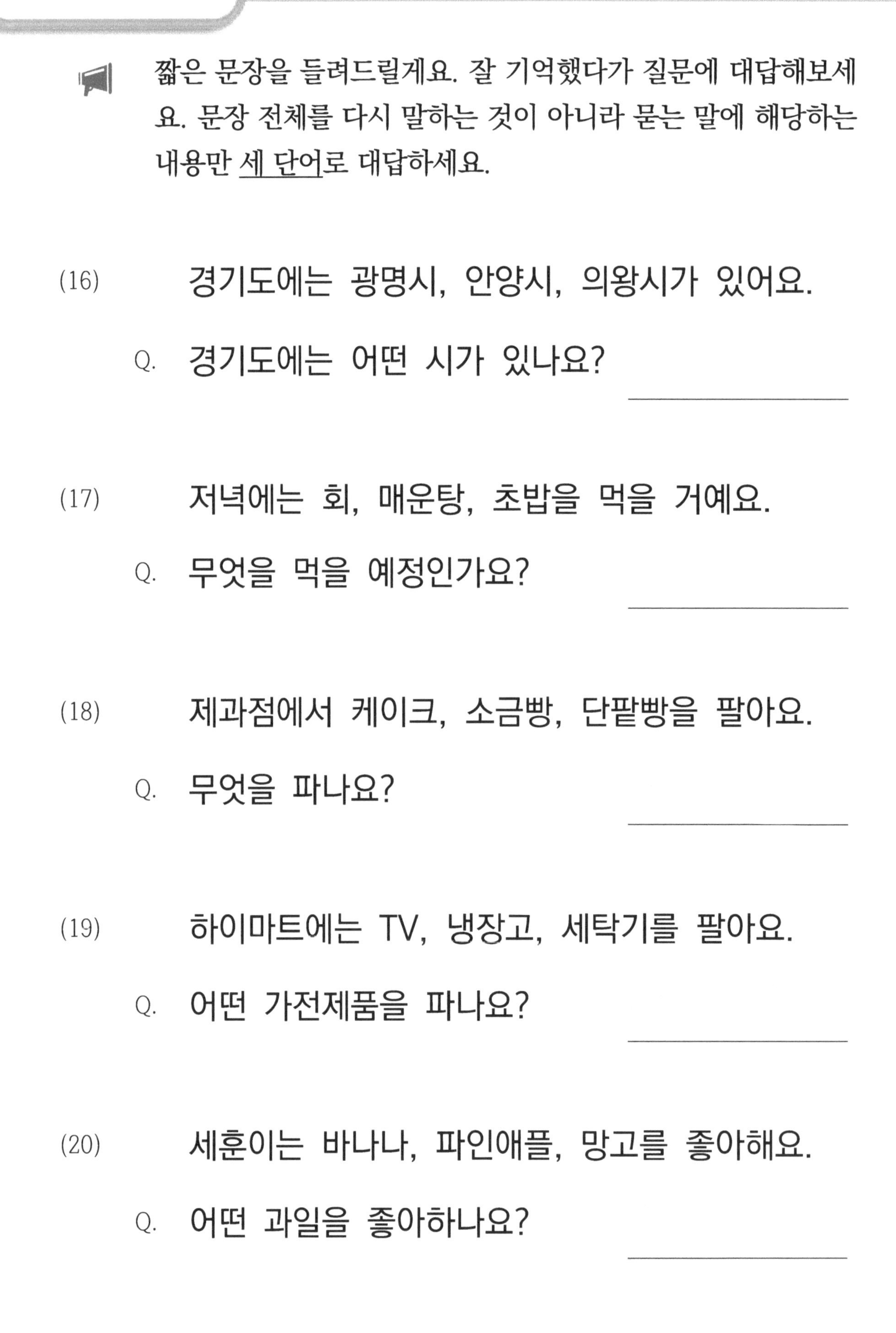

짧은 문장을 들려드릴게요. 잘 기억했다가 질문에 대답해보세요. 문장 전체를 다시 말하는 것이 아니라 묻는 말에 해당하는 내용만 세 단어로 대답하세요.

(16) 경기도에는 광명시, 안양시, 의왕시가 있어요.

Q. 경기도에는 어떤 시가 있나요? ______________

(17) 저녁에는 회, 매운탕, 초밥을 먹을 거예요.

Q. 무엇을 먹을 예정인가요? ______________

(18) 제과점에서 케이크, 소금빵, 단팥빵을 팔아요.

Q. 무엇을 파나요? ______________

(19) 하이마트에는 TV, 냉장고, 세탁기를 팔아요.

Q. 어떤 가전제품을 파나요? ______________

(20) 세훈이는 바나나, 파인애플, 망고를 좋아해요.

Q. 어떤 과일을 좋아하나요? ______________

## 3. 따라 말하기

문장을 잘 듣고 그대로 따라 말하세요

(1) 해와 달

(2) 토끼와 거북이

(3) 풍선이 날아간다.

(4) 선물을 깜박했다.

(5) 우물 안의 개구리

(6) 칼로 물 베기

(7) 해가 쨍쨍하다.

(8) 아기가 기어간다.

(9) 휘파람을 불어 봐.

# 문장 표현

문장을 잘 듣고 그대로 따라 말하세요

(10) 수영장에서 수영을 해요.

(11) 로션을 꼼꼼히 발라요.

(12) 새벽 공기가 차다.

(13) 고추잠자리가 날아다닌다.

(14) 터널이 공사 중이다.

(15) 종이배를 접어요.

(16) 소파 위에 강아지가 있다.

(17) 배가 아파서 화장실에 갔다.

(18) 책상 위에 핸드폰이 있다.

문장을 잘 듣고 그대로 따라 말하세요

(19) 가는 날이 장날이다.

(20) 가는 말이 고와야 오는 말도 곱다.

(21) 돌다리도 두들겨보고 건너라.

(22) 바늘 도둑이 소도둑 된다.

(23) 방귀 뀐 놈이 성낸다.

(24) 고래 싸움에 새우 등 터진다.

(25) 고생 끝에 낙이 온다.

(26) 공든 탑이 무너지랴

(27) 티끌 모아 태산

# 문장 표현

문장을 잘 듣고 그대로 따라 말하세요

(28) 세상에 공짜는 없다.

(29) 후회한들 무엇하랴.

(30) 아는 것이 힘이다.

(31) 자나 깨나 불조심

(32) 미래를 만드는 것은 현재이다.

(33) 웃는 자에게 복이 온다.

(34) 피할 수 없으면 즐겨라.

(35) 행복은 습관이다.

(36) 인생은 한 권의 책과 같다.

문장을 잘 보고 베껴 써 보세요.

(1) 해와 달

해와 달

(2) 토끼와 거북이

(3) 우물 안의 개구리

(4) 티끌 모아 태산

(5) 행복은 습관이다.

# 문장 표현

문장을 잘 보고 베껴 써 보세요.

(6) 시작이 반이다.

(7) 오늘도 수고했어

(8) 내일 전국에 비소식

(9) 돌담길을 걸었다.

(10) 전망대에서 일출을 보았다.

문장을 잘 보고 베껴 써 보세요.

(11) 영화를 보며 팝콘을 먹었다.

(12) 귀가 간지러웠다.

(13) 하얀 구름이 뭉게뭉게 피었다.

(14) 여름에는 꼭 모자를 쓴다.

(15) 비가 오면 장화를 신으세요.

# 문장 표현

문장을 잘 보고 베껴 써 보세요.

(16) 카메라로 사진을 찍는다.

(17) 조카에게 세뱃돈을 주었다.

(18) 액자에 그림을 끼운다.

(19) 꽃집에서 꽃다발을 사요.

(20) 버스를 타고 시내에 간다.

# 참고 문헌


Brubaker, S. H. (2006). Workbook for Aphasia: Exercises for Expressive and Receptive Language Functioning. USA: Wayne State University Press.

Language Intervention Strategies in Aphasia and Related Neurogenic Communication Disorders. (2008). UK: Wolters Kluwer Health/Lippincott Williams & Wilkins.

Tomlin, K. J. (2002). WALC 1: Workbook of Activities for Language and Cognition : Aphasia Rehab. USA: LinguiSystems.

Robey, R. R. (1998). A meta-analysis of clinical outcomes in the treatment of aphasia.Journal of Speech, Language, and Hearing Research,41(1), 172-187.

Thompson, C. K., Worrall, L., & Martin, N. (2008). Approaches to aphasia treatment.Aphasia rehabilitation. The impairment and its consequences, 3-24.

강영애 (2013). 신경언어장애 환자를 위한 언어치료 워크북. 대한민국: 충남대학교출판문화원.

권미선, 신상은, 최현주 (2019). 신경의사소통장애. 대한민국: 박학사.

# 참고 문헌


김운정, 오선정 (2021). 언어치료 워크북: 이해편(뇌졸중 환자와 보호자를 위한). 대한민국: 학지사.

김정완 (2018). 인지재활 워크북(언어재활사를 위한). 대한민국: 이담북스.

김주연, 서혜경 (2021). 언어재활 워크북: 이해력 편. 대한민국: 학지사.

김향희 (2021). 신경언어장애. 대한민국: 시그마프레스.

서혜경, 김주연 (2021). 언어재활 워크북: 표현력 편. 대한민국: 학지사.

오선정, 김운정 (2021). 언어치료 워크북: 표현편(뇌졸중 환자와 보호자를 위한). 대한민국: 학지사.